Harcourt Health and Fitness

Resources for Spanish Speakers
Recursos de salud
Grade 4

Harcourt
SCHOOL PUBLISHERS

Orlando • Austin • New York • San Diego • Toronto • London

Visite
www.harcourtschool.com

Grateful acknowledgment is made to Partnership for Food Safety Education for
permission to reprint ¡Combata a Bac! information graphic. Copyright 2003 by
Partnership for Food Safety Education.

Printed in the United States of America

ISBN 0-15-341183-X

3 4 5 6 7 8 9 10 082 13 12 11 10 09 08 07 06 05

Contenido

El funcionamiento de los aparatos y sistemas corporales

Lección 1

trait—rasgo: Una característica, o cualidad, que una persona tiene

cell—célula: La parte más pequeña del cuerpo con funcionamiento propio

nucleus—núcleo: El centro de control de una célula

tissue—tejido: Un grupo de células del mismo tipo que trabajan en conjunto para realizar una función

organs—órganos: Grupos de tejidos que trabajan en conjunto para realizar cierta función

system—sistema o aparato: Un grupo de órganos que trabajan en conjunto

Lección 2

nervous system—sistema nervioso: El sistema del cuerpo que coordina todas las actividades del cuerpo

brain—cerebro: El órgano que controla el sistema nervioso

nerves—nervios: Manojos de fibras que transportan mensajes

Lección 3

esophagus—esófago: Un órgano con forma de tubo que empuja los alimentos desde tu boca hacia tu estómago

stomach—estómago: El órgano que mezcla los jugos digestivos con los alimentos

small intestine—intestino delgado: Un órgano con forma de tubo ubicado debajo del estómago; el cuerpo absorbe los nutrientes a través de sus paredes

large intestine—intestino grueso: El último órgano del aparato digestivo; extrae el agua para formar desechos sólidos

nutrients—nutrientes: Sustancias que el cuerpo puede usar

Lección 4

trachea—tráquea: El conducto que lleva aire a los bronquios; luego el aire pasa a los pulmones

bronchi—bronquios: Los dos conductos que transportan el aire de la tráquea a los pulmones

lungs—pulmones: Órganos que permiten que el oxígeno en el aire entre en tu cuerpo

diaphragm—diafragma: El músculo ubicado debajo de tus pulmones que ayuda al aire a entrar y salir de los pulmones

heart—corazón: El órgano que bombea la sangre por el cuerpo

arteries—arterias: Vasos sanguíneos que transportan la sangre desde el corazón

capillaries—capilares: Los diminutos vasos sanguíneos que llevan sangre a los tejidos

veins—venas: Vasos sanguíneos que llevan la sangre de regreso al corazón

Lección 5

skull—cráneo: Los huesos de tu cabeza que protegen tu cerebro

skeletal system—sistema óseo: El sistema del cuerpo compuesto por todos tus huesos; sostiene tu cuerpo, protege tus órganos y te permite moverte

spine—espina dorsal: También llamada columna vertebral; está formada por huesos pequeños que protegen la médula espinal

muscle—músculo: Un órgano que se contrae y se relaja para producir movimiento

muscular system—sistema muscular: El sistema del cuerpo que le permite a tu cuerpo moverse

© Harcourt

Nombre _____

LECCIÓN 1 | Estás creciendo

Un rasgo que tus padres te transmiten es un rasgo hereditario. El núcleo es el centro de control de una célula. Los grupos de tejidos se unen para formar órganos que trabajan en conjunto en un sistema o aparato.

LECCIÓN 2 | El cerebro y el sistema nervioso

Tu sistema nervioso está compuesto por el cerebro, la médula espinal y los nervios. El cerebro controla el sistema nervioso. Los nervios transportan mensajes. La parte del cerebro que controla la respiración es el tronco encefálico. Otro nombre para las células nerviosas es neuronas.

LECCIÓN 3 | El aparato digestivo

El esófago empuja los alimentos desde tu boca hacia tu estómago. Los alimentos permanecen en el intestino delgado antes de pasar al intestino grueso, donde se extraen el agua y los desechos sólidos. El hígado produce bilis para asistir en la digestión de las grasas.

LECCIÓN 4 | Los aparatos respiratorio y circulatorio

El aire pasa por tu nariz o boca a los pulmones. Cuando respiras, tu diafragma hace que el aire entre y salga de tus pulmones. La sangre fluye desde tu corazón por las arterias y regresa por las venas.

LECCIÓN 5 | Los sistemas óseo y muscular

Tu sistema óseo está compuesto por huesos; y tu sistema muscular está compuesto por músculos. El grupo de huesos llamado cráneo protege tu cerebro. Tu espina dorsal protege tu médula espinal. Un músculo se contrae y se relaja para producir movimiento.

© Harcourt

Nombre _____

Múltiple opción

A. Encierra en un círculo la letra de la respuesta correcta.

1. Los mensajes son transportados en el cuerpo por _____.

  A las arterias   **C** los nervios

  B el cerebro   **D** las venas

2. El aire de la nariz pasa primero_____.

  F a los bronquios   **H** al diafragma

  G a la tráquea   **J** al esófago

3. _____ mueven la sangre desde el corazón al cuerpo.

  A Los capilares   **C** Los músculos

  B Las arterias   **D** Las venas

4. Los alimentos NO se descomponen en _____.

  F el esófago   **H** el intestino delgado

  G la boca   **J** el estómago

5. _____ protege al cerebro de lesiones.

  A El sistema muscular   **C** La espina dorsal

  B Un grupo de nervios   **D** El cráneo

6. El movimiento de tu _____ hace que el aire entre y salga de tus pulmones.

  F esófago   **H** diafragma

  G corazón   **J** estómago

B. Explica tu respuesta a la pregunta 6.

_____

_____

_____

_____

La salud personal

Lección 1

epidermis—epidermis: La capa superior de la piel

dermis—dermis: La capa inferior de la piel; contiene vasos sanguíneos y nervios

Lección 2

plaque—placa bacteriana: Una capa pegajosa que se forma sobre tus dientes

cavities—caries: Un hueco en un diente

Lección 3

pupil—pupila: En el ojo, la apertura por la cual entra la luz

lens—cristalino: En el ojo, la parte clara y curva que dirige la luz para formar una imagen en la parte posterior del ojo

retina—retina: En el ojo, la parte en la cual se forma la imagen; la imagen viaja al cerebro mediante señales de los nervios

Lección 4

advertising—publicidad: Una forma en que los comerciantes les presentan a las personas información sobre sus productos

consumer—consumidor: Una persona que compra un producto

© Harcourt

LECCIÓN 1 | Tu piel y su cuidado

La capa superior de la piel es la epidermis. Debajo de ella está la dermis. Los aceites ayudan a mantener tu piel suave. El sudor ayuda a tu piel a refrescarse. Los aceites y el sudor llegan a la capa superior de tu piel por los poros. Para proteger tu piel de la luz solar, debes usar filtro solar.

LECCIÓN 2 | Tus dientes y su cuidado

Las bacterias en la placa bacteriana forman un ácido que puede causar daño en los dientes. Esto puede resultar en huecos en los dientes llamados caries. El uso de pasta dental con fluoruro puede prevenir los problemas dentales.

LECCIÓN 3 | Tu vista y audición

La luz entra en el ojo a través de la pupila. El cristalino dirige la luz y la enfoca en la retina. La persona que es miope ve los objetos lejanos borrosos. La persona que es hipermétrope ve los objetos cercanos borrosos.

LECCIÓN 4 | Un consumidor de productos para la salud

La publicidad es un método que los comerciantes usan para presentarles sus productos a las personas. Una persona que compra un producto es un consumidor. Cuando tomes decisiones de compra, compara varias marcas del mismo artículo.

LECCIÓN 5 | Obtener información sobre la salud

Es muy importante que la información sobre la salud sea confiable, o fidedigna. Las enfermeras y médicos pueden proveer buena información porque son expertos de la salud. Por lo general, las publicaciones científicas y las revistas sobre la salud son fuentes confiables.

Nombre _____

Usa los significados de las palabras

A. Ordena las letras de las palabras subrayadas para completar las siguientes oraciones.

1. Sally quería comprar la pasta dental después de haber visto la <u>diluaidpcb</u> en televisión. _____

2. Matt se rasguñó la capa superior de la piel, la <u>sepriedim</u>, cuando se cayó en la acera. _____

3. La <u>apulpi</u> es la apertura en el ojo que permite el paso de la luz. _____

4. Leslie estudió la capa inferior de la piel, llamada <u>seidmr</u>, para su proyecto de ciencias. _____

5. Raquel era miope porque su <u>cstanoilri</u> enfocaba imágenes delante de sus retinas. _____

6. A Wayne le gustaba sentir lo lisos que quedaban sus dientes después de que el dentista le quitaba la pegajosa <u>acpla ctebaiaran</u>. _____

7. Ser un <u>rndocsuomi</u> sensato significa que investigas los productos antes de comprarlos. _____

8. El padre de Tanya le dijo que comer demasiados dulces le causaría <u>reacsi</u> en sus dientes. _____

9. La <u>tinaer</u> es la parte del ojo que envía imágenes al cerebro mediante señales nerviosas. _____

B. Elige tres de las palabras del vocabulario de la Parte A. Escribe un párrafo usando las tres palabras.

_____

_____

_____

_____

_____

© Harcourt

Los alimentos y tu salud

Lección 1

carbohidrates—carbohidratos: Los almidones y azúcares que son la principal fuente de energía del cuerpo

fats—grasas: Nutrientes que le dan a tu cuerpo más energía que cualquier otro tipo de nutriente

proteins—proteínas: Una clase de nutriente que te da energía y ayuda a formar y reparar tus células

vitamins—vitaminas: Nutrientes que ayudan a tu cuerpo a realizar ciertas funciones y que son producto de seres vivos

minerals—minerales: Nutrientes que ayudan a tu cuerpo a crecer y funcionar y que no son producto de seres vivos

water—agua: Un nutriente necesario para la vida; ayuda a tu cuerpo a descomponer los alimentos y lleva los nutrientes a tus células

Lección 2

food guide pyramid—pirámide alimenticia: Un diagrama que ayuda a las personas a elegir alimentos para una dieta saludable

serving—porción: La cantidad de un alimento que una persona debe comer en una comida

balanced diet—dieta equilibrada: Una dieta que consiste en una cantidad de alimentos saludables de cada uno de los grupos de alimentos

portion—ración: La cantidad de un alimento que se sirve

Lección 3

habit—hábito: Algo que haces con tanta frecuencia que ni siquiera piensas en ello

Lección 4

nutritious—nutritivo: Que tiene valor alimenticio

ingredients—ingredientes: Todo lo que se usa para hacer un alimento, medicamento, producto para el cuidado de la salud o producto para uso en el hogar

Lección 5

food poisoning—intoxicación por alimentos: Una enfermedad causada por haber comido alimentos que contienen gérmenes

LECCIÓN 1 Nutrientes para tu cuerpo

Los nutrientes que le proveen a tu cuerpo la energía son los carbohidratos, las grasas y las proteínas. La función principal de las vitaminas y los minerales es ayudar a tu cuerpo a crecer y funcionar. Una función que cumple el agua es descomponer los alimentos y ayudar al cuerpo a usar las vitaminas y minerales.

LECCIÓN 2 El alimento y los nutrientes que contiene

Una pirámide alimenticia puede ayudarte a lograr una dieta equilibrada. La cantidad de un alimento recomendada para una comida o refrigerio es una porción. Una ración es la cantidad de un alimento que te sirves.

LECCIÓN 3 Cómo usar la Pirámide alimenticia

Elegir alimentos saludables puede formar hábitos alimenticios saludables. Con la práctica, puedes escoger combinaciones saludables de alimentos, o alimentos que contienen más de un grupo alimenticio. Comer un bocadillo saludable te puede dar la energía que necesites hasta tu próxima comida.

LECCIÓN 4 Guías alimenticias y etiquetas

El uso de las guías dietéticas para los estadounidenses y las etiquetas de los productos te puede ayudar a elegir una dieta saludable. Leer la lista de ingredientes en la etiqueta de un producto te puede ayudar a determinar el valor nutritivo de un alimento.

LECCIÓN 5 Cómo mantener saludables los alimentos

Preparar los alimentos con cuidado puede ayudar a prevenir una enfermedad llamada intoxicación por alimentos. Uno de los pasos importantes en la preparación cuidadosa de los alimentos es lavar tus manos con jabón y agua tibia.

© Harcourt

Nombre _____

Usa los significados de las palabras

Elige el término que mejor combine con la definición. Escribe el término correcto en la línea a la izquierda de la definición. Usa cada término solamente una vez.

hábito	pirámide alimenticia	ingredientes	proteínas
ración	intoxicación por alimentos	mineral	porción
grasas	dieta equilibrada	carbohidratos	agua

_____ **1.** Nutrientes que son la fuente principal de energía de tu cuerpo

_____ **2.** Un nutriente necesario para la vida, elimina desechos

_____ **3.** Una cantidad de alimento recomendada para una comida o refrigerio

_____ **4.** Un diagrama que se usa para planear una dieta saludable

_____ **5.** Una enfermedad causada por gérmenes en los alimentos

_____ **6.** Algo que haces tan seguido que ni siquiera piensas en ello

_____ **7.** Nutrientes que se usan para formar y reparar células

_____ **8.** Las cosas que se usan para preparar un alimento

_____ **9.** Nutrientes que proveen la mayor cantidad de energía por gramo de alimento

_____ **10.** Una dieta compuesta por alimentos de cada grupo de alimentos

_____ **11.** El calcio y el hierro son ejemplos de este tipo de nutriente.

_____ **12.** La cantidad de alimento que se sirve en una comida

© Harcourt

La buena condición física y la actividad

Lección 1

posture—postura: La posición del cuerpo al estar de pie o sentado

Lección 2

aerobic exercise—ejercicio aeróbico: Actividad física que hace que tu corazón y pulmones trabajen con mayor intensidad, mejorando así la salud de tu sistema cardiovascular

anaerobic exercise—ejercicio anaeróbico: Actividad física que hace que tus músculos sean más fuertes y más grandes

rest—descanso: Tiempo de calma para relajarse y darles al corazón, músculos y mente una oportunidad para disminuir su ritmo

Lección 3

Activity Pyramid—Pirámide de actividades: Una guía para la actividad física

LECCIÓN 1 | La buena postura

Buena postura significa sostener el cuerpo de manera equilibrada. Cuando levantes objetos, dobla las rodillas y mantén tu espalda tan erguida como puedas. La buena postura es importante cuando estás sentado y cuando trabajas en la computadora.

LECCIÓN 2 | Buena condición física

Las tres partes de la buena condición física son: resistencia, fortaleza muscular y flexibilidad. El ejercicio aeróbico te hace respirar profundamente. El ejercicio anaeróbico desarrolla la fortaleza muscular. El corazón es parte de tu sistema cardiovascular. Necesitas descanso y por lo menos diez horas de sueño todas las noches.

LECCIÓN 3 | Tu plan personal para la buena condición física

Puedes usar la Pirámide de actividades como ayuda en la elaboración de un plan personal para una buena condición física. Antes de un programa de ejercicios, debes hacer calentamiento. Después de hacer ejercicio, necesitas hacer enfriamiento. Debes usar equipo de seguridad y seguir las reglas del juego.

© Harcourt

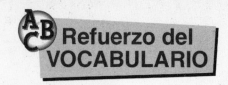

En busca de una buena condición física

Hay nueve términos sobre la buena condición física escritos hacia adelante, hacia atrás, horizontalmente, verticalmente, y en diagonal. Encierra en un círculo cada término, y luego escríbelo en la oración correcta correspondiente.

E	D	I	M	A	R	I	P	U	F	R	O	U	O	B
D	E	S	C	A	N	S	O	L	I	R	V	C	P	H
F	L	E	X	I	B	I	L	I	D	A	D	U	B	P
A	I	C	N	E	T	S	I	S	E	R	U	X	C	P
T	N	Z	U	A	N	A	E	R	O	B	I	C	O	S
V	M	U	S	C	U	L	A	R	U	T	S	O	P	R
O	C	I	B	O	R	E	A	O	G	Z	O	Y	H	V
O	T	N	E	I	M	A	T	N	E	L	A	C	N	Z

1. Antes de hacer ejercicio es importante hacer _____ durante cinco a diez minutos.

2. Correr y nadar son ejemplos de ejercicio _____.

3. Hacer trabajar los músculos con mayor intensidad por periodos de tiempo

prolongados sin cansarse es tener _____.

4. Los pectorales y los abdominales ayudan a desarrollar la fortaleza _____.

5. La _____ de actividades es una lista de actividades que ayudan a elaborar un programa para la buena condición física.

6. El sueño y el _____ ayudan a que el cuerpo y la mente se relajen.

7. Los ejercicios _____ son actividades breves e intensas.

8. La buena _____ es sostener tu cuerpo de manera equilibrada cuando estás de pie, sentado y en movimiento.

9. El estiramiento es un buen ejercicio para ayudar a aumentar la _____.

© Harcourt

La seguridad en el hogar

Lección 1

emergency—emergencia: Una situación en la cual se necesita ayuda de inmediato

family emergency plan—plan de familia para emergencias: Los pasos que tu familia toma para permanecer a salvo durante una emergencia

Lección 2

hazard—riesgo: Un objeto o condición que hacen que un lugar no sea seguro

Lección 3

lifeguard—salvavidas: Una persona entrenada para rescatar a personas que corren peligro de ahogarse

LECCIÓN 1 | Cómo responder a las emergencias

Una emergencia es una situación en la cual se necesita ayuda de inmediato. Si alguien está herido, avísale a un adulto o llama al número 911. Tu familia puede seguir un plan de familia para emergencias para permanecer a salvo si se presenta una emergencia. El gas, el agua y la electricidad son ejemplos de servicios públicos.

LECCIÓN 2 | Cómo mantener la seguridad en el hogar

Tener cuidado en presencia de un riesgo es un ejemplo de una medida de seguridad. Cuando tratas de evitar las lesiones, estás practicando la prevención de lesiones. Las caídas son la causa más frecuente de lesiones en el hogar. Las sustancias que causan daño cuando entran en el cuerpo se llaman tóxicos.

LECCIÓN 3 | La seguridad cerca del agua

Sal del agua si oyes truenos. Una persona entrenada para ayudarte a permanecer a salvo en el agua o en su proximidad es un salvavidas. Debes zambullirte solamente en aguas con una profundidad de 9 pies o mayor. Usa un chaleco salvavidas para poder flotar.

© Harcourt

● Emparejar

La Columna A es una lista de palabras y frases que has estudiado en el Capítulo 5. La Columna B es una lista de enunciados que describen las palabras y frases de la Columna A. En el espacio en blanco junto a cada palabra o frase de la Columna A, escribe la letra del enunciado que la describe.

<table>
<tr><td colspan="2">**Columna A**</td><td colspan="2">**Columna B**</td></tr>
<tr><td>____</td><td>emergencia</td><td>**a.**</td><td>Sigue esto si necesitas salir de tu casa de apuro.</td></tr>
<tr><td>____</td><td>equipo de provisiones de emergencia</td><td>**b.**</td><td>Sigue estos pasos si alguien se está ahogando.</td></tr>
<tr><td>____</td><td>plan de familia para emergencias</td><td>**c.**</td><td>Parte de esto es conocer las señales de advertencia de tu comunidad.</td></tr>
<tr><td>____</td><td>riesgo</td><td>**d.**</td><td>Tú obedeces a esta persona cuando nadas.</td></tr>
<tr><td>____</td><td>salvavidas</td><td>**e.**</td><td>Un ejemplo de esto es usar el chaleco salvavidas cuando vas en bote.</td></tr>
<tr><td>____</td><td>tóxicos</td><td>**f.**</td><td>Guarda una linterna, alimentos y agua en esto.</td></tr>
<tr><td>____</td><td>alcanzar y tirar</td><td>**g.**</td><td>Si esto sucede, avísale a un adulto o llama al 911.</td></tr>
<tr><td>____</td><td>medida de seguridad</td><td>**h.**</td><td>Haz esto si tu ropa empieza a quemarse.</td></tr>
<tr><td>____</td><td>detente, déjate caer y rueda</td><td>**i.**</td><td>Mantén éstos fuera del alcance de los niños.</td></tr>
<tr><td>____</td><td>vía de escape</td><td>**j.**</td><td>Un ejemplo de esto es una sobrecarga en un tomacorriente eléctrico.</td></tr>
</table>

© Harcourt

La seguridad fuera del hogar

Lección 1

flood—inundación: Un desbordamiento de agua sobre terreno normalmente seco

lightning—relámpago: Una descarga grande de electricidad entre las nubes y el suelo; puede lesionar o matar a las personas, ocasionar incendios y dañar la propiedad

hurricane—huracán: Una tormenta que se forma en el océano; carga fuertes vientos y lluvia torrencial y puede causar inundaciones

tornado—tornado: Una tormenta de viento violenta que gira en forma de embudo

Lección 2

air bag—bolsa de aire: En un automóvil, camión o camioneta, una bolsa que se infla durante un choque para proteger a las personas en el asiento delantero

Lección 3

bully—matón: Una persona que hiere o atemoriza a otros, especialmente a aquéllos que son más pequeños, más débiles, diferentes o que están solos

gang—pandilla: Un grupo de personas que consumen y venden drogas, portan armas y se valen de la violencia para cometer delitos

weapon—arma: Un objeto que se puede usar para matar, lastimar o amenazar a alguien

© Harcourt

Nombre _____

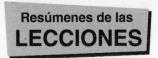

LECCIÓN 1 La seguridad al aire libre

Los relámpagos de una tormenta eléctrica pueden causar incendios. Una tormenta llamada tornado puede levantar un camión. Un huracán se forma sobre un océano. Puede ocasionar una inundación que podría arrasar con personas y propiedades.

LECCIÓN 2 La seguridad en la carretera

Cuando vayas en patines o en bicicleta, usa un casco para protegerte la cabeza de lesiones. No salgas en bicicleta por la noche. Siempre ponte el cinturón de seguridad cuando viajes en automóvil. Siéntate en el asiento trasero para evitar lesionarte si la bolsa de aire se inflara. Usa el pasamanos cuando viajes en autobús para evitar caerte.

LECCIÓN 3 La seguridad durante un conflicto

Una persona que le hace una zancadilla a alguien a propósito es un matón. Una pistola es un tipo de arma. Los miembros de una pandilla pueden lastimar a las personas y cometer delitos. El uso de la fuerza física para lastimar a alguien es violencia.

© Harcourt

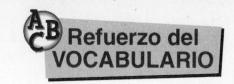

Completa el crucigrama

Usa las pistas para completar el crucigrama.

Verticales

1. un dispositivo de seguridad que se infla en un automóvil durante un choque
3. una persona que lastima o atemoriza a otros
4. una tormenta de viento violenta
6. un grupo de personas que a menudo usan la violencia
8. un objeto que se usa para lastimar o amenazar a alguien

Horizontales

2. una tormenta que se forma sobre un océano y cubre un área grande
5. una gran descarga de electricidad
7. un desbordamiento de agua sobre terrenos normalmente secos

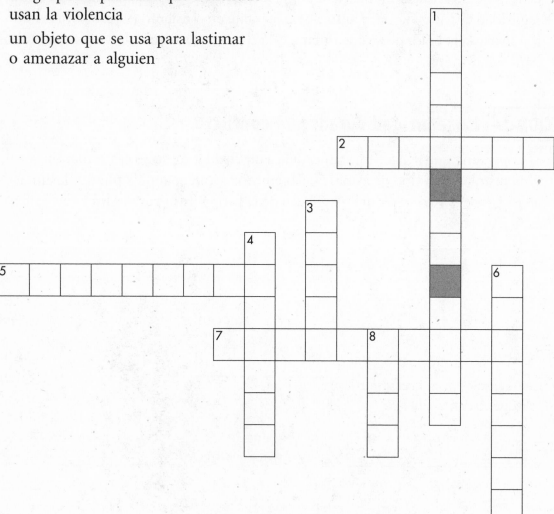

Protegerse de las enfermedades

Lección 1

disease—enfermedad: Una afección que daña o debilita parte del cuerpo

communicable disease—enfermedad contagiosa: Una enfermedad que se puede propagar de una persona a otra

noncommunicable disease—enfermedad no contagiosa: Una enfermedad que no se propaga de una persona a otra

Lección 2

pathogens—agentes patógenos: Organismos, tales como bacterias o virus, que causan enfermedades contagiosas

virus—virus: La clase más pequeña de agente patógeno

bacteria—bacterias: Seres vivientes unicelulares; la mayoría son inofensivos, pero algunos pueden causar enfermedades

fungi—hongos: Formas de vida simples, tales como el moho, la levadura y las setas; algunos hongos pueden causar enfermedades

infection—infección: El crecimiento de agentes patógenos en el cuerpo

Lección 3

immune system—sistema inmunológico: El sistema del cuerpo que combate las enfermedades

antibodies—anticuerpos: Sustancias químicas que el cuerpo produce para combatir las enfermedades

immunity—inmunidad: La capacidad del cuerpo para combatir agentes patógenos

vaccine—vacuna: Un medicamento que puede prevenir cierta enfermedad

Lección 4

cancer—cáncer: Una enfermedad a causa de la cual células del cuerpo que no son normales crecen fuera de control

allergy—alergia: Una enfermedad no contagiosa a causa de la cual el cuerpo de una persona reacciona a cierta sustancia

asthma—asma: Una enfermedad no contagiosa del aparato respiratorio; causa problemas para respirar

diabetes—diabetes: Una enfermedad no contagiosa a causa de la cual el cuerpo deja de producir insulina y por lo tanto no puede usar el azúcar adecuadamente

arthritis—artritis: Una enfermedad no contagiosa a causa de la cual las articulaciones del cuerpo se dañan y causan dolor

Lección 5

resistance—resistencia: La capacidad natural del cuerpo para combatir enfermedades

abstinence—abstinencia: Evitar una conducta que puede dañar tu salud

© Harcourt

LECCIÓN 1 | Por qué las personas se enferman

Enfermedad es otro nombre para dolencia. Las enfermedades contagiosas se pueden propagar de una persona a otra pero las enfermedades no contagiosas no. Las enfermedades que duran mucho tiempo se llaman enfermedades crónicas. Otras enfermedades, llamadas enfermedades agudas, duran poco tiempo.

LECCIÓN 2 | Enfermedades contagiosas

Hay varios tipos de agentes patógenos que causan enfermedades. Éstos incluyen los virus, las bacterias y los hongos. Si uno de ellos se multiplica en tu cuerpo, puedes desarrollar una infección.

LECCIÓN 3 | Cómo combatir las enfermedades contagiosas

El sistema inmunológico de tu cuerpo combate las enfermedades. Los glóbulos blancos combaten a los agentes patógenos produciendo anticuerpos. La capacidad del cuerpo para defenderse de ciertas clases de agentes patógenos se llama inmunidad. Puedes protegerte de algunas enfermedades si recibes una vacuna.

LECCIÓN 4 | Enfermedades no contagiosas

Las enfermedades no contagiosas no son causadas por agentes patógenos. Estas enfermedades incluyen la artritis, que afecta las articulaciones, y la diabetes que afecta el nivel de azúcar en la sangre. El cáncer se desarrolla cuando células que no son normales crecen fuera de control.

LECCIÓN 5 | Adoptar un estilo de vida saludable

Puedes aumentar tu resistencia a las enfermedades tomando decisiones sensatas sobre tu estilo de vida. Es muy importante elegir alimentos saludables y hacer suficiente ejercicio. Practicar la abstinencia del tabaco también es importante.

© Harcourt

Elige la palabra correcta

Hay dos opciones de respuesta para cada espacio en blanco. Elige la que haga que la oración sea verdadera y escríbela en el espacio en blanco.

1. Los resfriados y la gripe son [enfermedades contagiosas/enfermedades no

    contagiosas] _____ .

2. Evitar conductas no saludables se llama [resistencia/abstinencia] _____ .

3. El pie de atleta es una enfermedad causada por [bacterias/hongos] _____ .

4. Las sustancias químicas que tu cuerpo produce para combatir las enfermedades,

    llamadas [abstinencia/anticuerpos] _____, se adhieren a los agentes
    patógenos que entran en tu cuerpo.

5. Si tienes [asma/diabetes] _____, tu cuerpo no puede usar la insulina
    adecuadamente.

6. Una enfermedad que causa dolor en las articulaciones es la [alergia/artritis]

    _____ .

7. Las bacterias son un tipo de [agente patógeno/virus] _____ .

8. El crecimiento de agentes patógenos en alguna parte de tu cuerpo es una

    [inmunidad/infección] _____ .

9. La enfermedad que dificulta la respiración se llama [asma/abstinencia] _____ .

10. Una [enfermedad/resistencia] _____ es algo que causa que el cuerpo
    no funcione como es debido.

11. Un tipo de [bacteria/virus] _____ causa una inflamación de la garganta.

12. La capacidad del cuerpo para defenderse de ciertos agentes patógenos se llama

    [inmunidad/enfermedad] _____ .

Los medicamentos, las drogas y tu salud

Lección 1

medicine—medicamento: Una droga que se usa para tratar o curar un problema de salud

drug—droga: Una sustancia que no es un alimento y que afecta la forma en que el cuerpo funciona

sife effects—efectos secundarios: Cambios no deseados en el cuerpo, causados por un medicamento

prescription—receta médica: La orden de un doctor para un medicamento

prescription medicine—medicamento controlado: Medicamento que sólo un adulto puede comprar siempre y cuando tenga la orden de un doctor

over-the-counter medicines— medicamentos de venta libre: Medicamentos que se pueden comprar sin receta médica

dose—dosis: La cantidad de un medicamento que debes tomar cada vez que lo usas

expiration date—fecha de vencimiento: Una fecha en el envase de un medicamento que te indica cuándo un medicamento no se debe usar

Lección 2

addiction—adicción: Un antojo que hace que una persona continúe consumiendo una droga aun cuando sabe que es dañina

caffeine—cafeína: Una droga que se encuentra en el café, el té, el chocolate y algunas bebidas de refresco

inhalants—inhalantes: Sustancias que tienen vapores que algunas personas usan como drogas

Lección 3

illegal drug—droga ilegal: Una droga que no es un medicamento y que es contra la ley vender, comprar, tener o consumir

marijuana—marihuana: Una droga ilegal hecha de la planta del cáñamo índico

drug dependence—dependencia de una droga: La necesidad de tomar una droga tan sólo para sentirse normal

cocaine—cocaína: Una droga potente elaborada con las hojas de la planta de coca

Lección 4

self-respect—amor propio: El sentimiento que tienes cuando estás contento contigo mismo y orgulloso de lo que haces

peer pressure—influencia de compañeros: La fuerte influencia que las personas de tu misma edad pueden tener sobre ti

© Harcourt

LECCIÓN 1   Los medicamentos afectan el cuerpo

Las drogas cambian la forma en que funciona tu cuerpo. Las que se usan para tratar o curar enfermedades se llaman medicamentos. Los medicamentos de venta libre se pueden comprar sin receta médica, pero los medicamentos controlados no.

LECCIÓN 2   Sustancias que pueden ser dañinas

Una adicción es un antojo que hace que una persona use una droga. La droga cafeína se encuentra en el café, el té y algunas bebidas de refresco. Los productos para uso en el hogar que emanan vapores también pueden causar adicción si se usan como drogas llamadas inhalantes.

LECCIÓN 3   La marihuana y la cocaína

La marihuana y la cocaína son drogas ilegales. A una persona que abusa de estas drogas se le llama consumidor de drogas. Las drogas dañan no sólo a la persona que las consume, sino también a su familia y a la comunidad.

LECCIÓN 4   Negarse a consumir drogas

Si conoces las formas en que las drogas pueden hacerte daño, es más fácil resistir la influencia de compañeros. Planear maneras de decir no puede ayudar a la persona a negarse. Negarte a las drogas contribuirá a que estés conforme contigo mismo y te sientas orgulloso de tus acciones y te ayudará a desarrollar tu amor propio.

LECCIÓN 5   Cómo pueden conseguir ayuda los abusadores de drogas

Los cambios de humor y las calificaciones bajas podrían ser señales de advertencia de consumo de drogas. Muchas organizaciones pueden ayudar a los abusadores de drogas en el proceso de rehabilitación para que abandonen la droga.

© Harcourt

Usa los significados de las palabras

Subraya el término que hace que la oración sea correcta.

1. [La rehabilitación/El amor propio] es el proceso para abandonar el consumo de drogas.

2. Si tienes una [adicción/droga ilegal] tienes un antojo que te hace consumir una droga.

3. La droga llamada [cocaína/marihuana] proviene de la planta del cáñamo índico.

4. Una [rehabilitación/droga] es una sustancia que cambia la forma en que funciona el cuerpo.

5. Los vapores de productos caseros que se usan como drogas son [medicamentos controlados/ inhalantes].

6. Dos ejemplos de [dependencia de drogas/ drogas ilegales] son la cocaína y la marihuana.

7. Los [medicamentos de venta libre/medicamentos controlados] son drogas que se pueden comprar sin la orden de un doctor.

8. Cuando tus amigos tratan de convencerte para que hagas algo, eso se llama [amor propio/influencia de compañeros].

9. Tienes [amor propio/dependencia de drogas] cuando necesitas tomar una droga para sentirte normal.

10. La [cafeína/marihuana] es una droga que se encuentra en el café.

Los efectos dañinos del tabaco y el alcohol

Lección 1

nicotine—nicotina: Una sustancia química muy adictiva que se encuentra en el tabaco; acelera el sistema nervioso

tar—alquitrán: Una materia oscura y pegajosa que cubre los pulmones y las vías respiratorias de los fumadores

Lección 2

alcohol—alcohol: Una droga que se encuentra en la cerveza, el vino y el licor

intoxicated—embriagado: Un estado en el que una persona está fuertemente afectada por beber demasiado alcohol

alcoholism—alcoholismo: Una enfermedad a causa de la cual las personas no pueden controlar su consumo de alcohol

LECCIÓN 1 | Cómo el tabaco daña los sistemas y aparatos del cuerpo

Cuando alguien fuma tabaco, respira sustancias químicas peligrosas como la sustancia pegajosa y negra llamada alquitrán. Además, los fumadores se vuelven adictos a la nicotina. Estas sustancias químicas se liberan al aire en forma de humo de tabaco ambiental.

LECCIÓN 2 | Cómo el alcohol daña los sistemas y aparatos del cuerpo

Cuando las personas beben demasiado alcohol, quedan borrachas, o embriagadas. El uso a largo plazo del alcohol puede conducir al alcoholismo. Muchos alcohólicos desarrollan la enfermedad del hígado llamada cirrosis.

LECCIÓN 3 | Decirles no al alcohol y el tabaco

Algunas personas deciden consumir tabaco o alcohol debido a la influencia de compañeros, la cual se puede resistir aprendiendo a decirle no a esas drogas.

LECCIÓN 4 | Los consumidores de tabaco y alcohol pueden recibir ayuda

Los consumidores de tabaco pueden recibir el apoyo de organizaciones como la Asociación Americana del Pulmón y la Sociedad Americana del Cáncer. Los alcohólicos y sus familiares pueden acudir a organizaciones como Alcohólicos Anónimos o Alanon en busca de ayuda para sus problemas con el alcohol.

LECCIÓN 5 | El tabaco, el alcohol y los medios de difusión

Las compañías de tabaco y alcohol usan anuncios para vender sus productos. Estas compañías quieren que tú compres o uses sus productos. Es necesario que sepas la verdad sobre los anuncios de productos de alcohol y tabaco.

Nombre _____

Mapas con términos

A. Usa los términos a continuación para completar el diagrama.

nicotina	alcoholismo	mensajes	alquitrán
responsables	embriagado	alcohol	alcohólico
publicidad	adicción	influencia de compañeros	

1. La _____ puede usar _____ falsos para vender estos productos.

2. Beber cerveza, vino y licor, los cuales contienen _____, podría hacer que alguien quede _____. El nombre de la enfermedad que padecen las personas que no pueden dejar de beber es _____. Una persona con esa enfermedad es un _____.

3. El tabaco contiene sustancias químicas peligrosas tales como _____ y _____.

4. Toma decisiones _____. Evita la _____ que fomenta la _____ al tabaco y a la bebida.

B. Escribe un eslogan sobre los peligros de beber y fumar, usando por lo menos dos de los términos del vocabulario de la lista de esta página.

Tus necesidades y sentimientos

Lección 1

self-concept—autoconcepto: La opinión que tienes sobre ti mismo

self-confidence—autoconfianza: Un buen sentimiento que tienes sobre lo que eres capaz de hacer

Lección 2

basic needs—necesidades básicas: Las necesidades físicas, mentales, emocionales y sociales que tienen las personas

privacy—privacidad: Tiempo que pasas a solas

goal—meta: Algo por lo que estás dispuesto a trabajar

Lección 3

self-control—autocontrol: Tu capacidad para expresar tus sentimientos de manera responsable

Lección 4

conflict—conflicto: Un desacuerdo entre personas que tienen diferentes necesidades o deseos

conflict resolution—resolución de conflictos: Resolver un problema entre personas

negotiate—negociar: Trabajar juntos para resolver un conflicto

compromise—acuerdo: Una solución en la que cada parte de un conflicto cede algo de lo que quiere

Lección 5

compassion—compasión: Un entendimiento de las necesidades y sentimientos de otros

role model—modelo de conducta: Una persona que da un buen ejemplo

© Harcourt

LECCIÓN 1 | Aprender más acerca de ti mismo

Tu autoconcepto es la forma en que te ves a ti mismo. Cuando valoras tus propias ideas, demuestras amor propio. Cuando estás seguro de ti mismo, tienes autoconfianza. Todos tenemos cualidades, o rasgos que nos hacen únicos. Tus actitudes moldean tu autoconcepto.

LECCIÓN 2 | Todos tenemos necesidades

Para mantenerte saludable, debes satisfacer tus necesidades físicas. Las cosas que te gustaría tener son deseos. Poder contar con alguien en quien confiar es una necesidad emocional. A muchas personas les gusta pasar tiempo a solas y por eso necesitan privacidad. Para satisfacer una necesidad o deseo, puedes fijarte una meta.

LECCIÓN 3 | Todos tenemos sentimientos

Las personas expresan sus sentimientos con palabras y lenguaje corporal. Alguien que tenga demasiados quehaceres podría sentir estrés. Cuando muere una mascota, es posible que sientas aflicción. Cuando expresas tus sentimientos con calma, demuestras autocontrol.

LECCIÓN 4 | El desafío de la amistad

Un conflicto es un desacuerdo entre personas. Las personas pueden intentar resolver los conflictos mediante la resolución de conflictos. Cuando trabajas con alguien para solucionar un problema, lo que haces es negociar. A veces, llegas a un acuerdo en el cual cada parte cede algo de lo que quiere.

LECCIÓN 5 | Trabajar con los demás

Cuando tratamos de entender las necesidades y sentimientos de los demás, demostramos compasión. Algunos estudiantes enfrentan desafíos porque tienen una discapacidad física o mental. Cuando tratamos de marcar una diferencia, servimos de modelos de conducta.

LECCIÓN 6 | Manejar la influencia de compañeros

La influencia de compañeros es hacer que alguien de tu edad haga algo. La influencia de compañeros positiva es animar a un amigo a estudiar. Debes decir no a la influencia de compañeros negativa.

© Harcourt

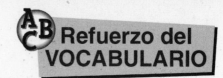

Usa los significados de las palabras

A. Elige el término que hace que cada oración sea correcta.

necesidades básicas	privacidad	meta	conflicto
influencia de compañeros	compasión	autocontrol	negociar
modelo de conducta	autoconfianza	autoconcepto	acuerdo
resolución de conflictos			

1. Tu _____ es la manera en que te ves a ti mismo.

2. Puedes usar el _____ para decir con calma cómo te sientes.

3. Un _____ positivo es una persona que da un buen ejemplo a los demás.

4. La _____ positiva es ayudar a tus amigos a hacer algo útil o divertido.

5. Cuando las personas tienen necesidades o deseos diferentes, podrían tener un

   _____ .

6. Tienes _____ cuando entiendes los sentimientos de los demás.

7. Una solución en la que ambas partes ceden algo de lo que quieren es un _____ .

8. Tú decides _____ cuando trabajas con otros para hallar una solución a un problema.

9. Las cuatro clases de _____ son: social, física, mental y emocional.

10. Quieres _____ cuando deseas estar a solas.

11. Cuando tú y tus amigos solucionan un problema entre ustedes, han usado la

    _____ .

12. Tienes una _____ cuando estás dispuesto a trabajar por algo.

13. La _____ es sentirte seguro de ti mismo.

B. Escribe una oración en la cual expliques cómo puedes solucionar cualquier problema entre tú y tus amigos. Usa por lo menos dos palabras del vocabulario en tu oración.

_____

_____

Las familias unidas

Lección 1

traditions—tradiciones: Costumbres que los miembros de una familia siguen

nuclear family—familia nuclear: Una familia que consiste en una madre, un padre y uno o más hijos

single-parent family—familia monoparental: Una familia formada por un padre o madre y sus hijos

blended family—familia combinada: Una familia que se forma cuando un padre y una madre solteros con hijos se casan

extended family—familia extensa: Una familia que incluye a otros miembros además de los padres y los hijos; puede incluir abuelos u otros parientes

Lección 3

values—valores: Creencias firmes sobre la forma en que las personas deben comportarse y vivir

cooperate—cooperar: Trabajar de manera servicial con los demás

LECCIÓN 1 | Las familias satisfacen sus necesidades

Una familia nuclear tiene una madre, un padre e hijos. Algunas personas viven en una familia extensa con abuelos, tías o tíos. Otros viven con un solo padre en una familia monoparental. Los niños que tienen un padrastro o madrastra viven en una familia combinada. Sea cual sea el tipo de familia en que vivas, probablemente observas tradiciones, especialmente al celebrar días festivos.

LECCIÓN 2 | Las familias se comunican

Debes resistir la influencia de compañeros cuando te podría llevar a hacer algo que no quieres hacer. Hay muchas maneras de comunicarse, incluso hablar, escribir notas y hacer cosas juntos.

LECCIÓN 3 | Las familias trabajan juntas

A menudo, los padres enseñan valores, como el respeto, con su ejemplo. Ellos transmiten los valores de personas de generaciones anteriores. Ser capaz de cooperar con los demás te ayuda a trabajar bien con las personas.

Elige el término correcto

A. En cada una de las siguientes oraciones, la palabra en cursiva hace que la oración sea incorrecta. Lee las opciones del recuadro siguiente para encontrar el término o frase que hace que la oración sea correcta. Escribe la opción correcta en la línea. Usa cada término o frase solamente una vez.

> **valores**   **influencia de compañeros**   **tradiciones**
>
> **cooperamos**   **comunicamos**

1. Mi hermano y yo siempre *discutimos*, y es por eso que trabajamos juntos y nos llevamos tan bien. _____

2. De todos los *poemas* que mi madre me enseñó, me dijo que los más importantes eran la honradez y la justicia. _____

3. Una de las *tareas* favoritas de mi familia es ir a cenar a la casa de mi abuela el Día de Acción de Gracias. _____

4. Cuando obedezco las reglas de mis padres, eso me ayuda a resistir la *fiesta* de mis amigos de la escuela. _____

5. Sé que siempre puedo hablar con mi madre sobre mis problemas porque ella y yo nos *peleamos* muy bien. _____

B. Elige dos términos del vocabulario de la siguiente lista: *familia nuclear, familia monoparental, familia combinada, familia extensa*. Luego, en una hoja aparte, escribe una oración correcta con cada término.

Vivir en una comunidad saludable

Lección 1

environment—medio ambiente: Todo lo viviente y no viviente que te rodea, incluyendo plantas, animales, aire, agua, suelo, edificios y caminos

Lección 2

graffiti—graffiti: Escritura o dibujo hecho en propiedad pública o privada sin permiso

Lección 3

natural resources—recursos naturales: Materiales de la naturaleza que las personas usan para satisfacer sus necesidades; incluyendo rocas, minerales, plantas, animales, aire, luz solar, agua y suelo

renewable resources—recursos renovables: Recursos que la naturaleza puede reponer, por ejemplo, árboles

nonrenewable resources—recursos no renovables: Recursos que tardan muchísimo tiempo para reponerse o que no es posible reponer

Lección 4

pollution—contaminación: Materiales dañinos que hacen que el aire, el agua y el suelo no sean saludables

solid waste—desecho sólido: Basura y desperdicios

Lección 5

conservation—conservación: El uso cuidadoso de los recursos para que duren más tiempo

© Harcourt

LECCIÓN 1 | Disfrutar de un medio ambiente saludable

Un medio ambiente saludable es importante para las comunidades. El agua, el suelo y el aire necesitan estar limpios para que las personas puedan tener un medio ambiente saludable. En un medio ambiente saludable, muchas personas disfrutan del esparcimiento al aire libre, como por ejemplo deportes y jardinería.

LECCIÓN 2 | Proteger tu comunidad

Escribir o dibujar en edificios se llama graffiti. Un despachador recibe llamadas y dirige a los agentes de policía, bomberos y técnicos de asistencia médica de emergencia para que provean asistencia en casos de emergencia.

LECCIÓN 3 | Nuestros recursos naturales

Los materiales de la naturaleza que usan las personas se llaman recursos naturales. Las plantas son ejemplos de recursos renovables, los cuales se pueden reponer. El carbón y el petróleo, los cuales son recursos no renovables, son ejemplos de combustibles fósiles.

LECCIÓN 4 | Prevenir la contaminación

Necesitamos proteger el aire, el suelo y el agua de la contaminación. Quemar desechos sólidos contamina el aire. Una forma en que las fábricas extraen algunos agentes contaminantes del humo es usando purificadores. Para reducir la contaminación del suelo, los basureros se están reemplazando con vertederos sanitarios.

LECCIÓN 5 | Maneras de conservar

La conservación hace que los recursos renovables y los no renovables duren más. Cuando las personas reciclan recursos naturales, contribuyen a mantener el medio ambiente limpio y conservan recursos.

Rompecabezas de palabras

Lee cada frase numerada. Encuentra el término del recuadro que corresponde a cada frase. Pon una letra en cada línea.

> graffiti   conservación   renovable   recursos naturales
>
> contaminación   desechos sólidos   no renovable   medio ambiente

1. el uso cuidadoso de los recursos naturales

___ ___ ___ ___ ___ ___ ___ ___ ___ ___ ___ ___

2. escritos o dibujos hechos en edificios públicos sin permiso

___ ___ ___ ___ ___ ___ ___ ___

3. todas las cosas vivientes y no vivientes que te rodean

___ ___ ___ ___ ___ ___ ___ ___ ___ ___ ___ ___ ___

4. que se puede reponer

___ ___ ___ ___ ___ ___ ___ ___ ___

5. materiales de la naturaleza que las personas usan para satisfacer sus necesidades

___ ___ ___ ___ ___ ___ ___ ___ ___ ___ ___ ___ ___ ___ ___ ___ ___

6. que tarda mucho en ser repuesto o que no se puede reponer

___ ___ ___ ___ ___ ___ ___ ___ ___ ___ ___ ___

7. toda materia dañina en el aire, el agua o el suelo

___ ___ ___ ___ ___ ___ ___ ___ ___ ___ ___ ___ ___

8. término para basura y desperdicios

___ ___ ___ ___ ___ ___ ___ ___ ___ ___ ___ ___ ___ ___

Glosario

Los números entre paréntesis indican las páginas del Libro del estudiante en las cuales las palabras se definen en contexto.

A

abstinence (abstinencia)
Evitar una conducta que puede dañar tu salud (182)

Activity Pyramid (Pirámide de actividades)
Una guía para la actividad física (106)

addiction (adicción)
Un antojo que hace que una persona continúe consumiendo una droga aun cuando sabe que es dañina (195)

advertising (publicidad)
Una forma en que los comerciantes les presentan a las personas información sobre sus productos (48)

aerobic exercise (ejercicio aeróbico)
Actividad física que hace que tu corazón y pulmones trabajen con mayor intensidad, mejorando así la salud de tu sistema cardiovascular (100)

air bag (bolsa de aire)
En un automóvil, camión o camioneta, una bolsa que se infla durante un choque para proteger a las personas en el asiento delantero (144)

alcohol (alcohol)
Una droga que se encuentra en la cerveza, el vino y el licor (224)

alcoholism (alcoholismo)
Una enfermedad a causa de la cual las personas no pueden controlar su consumo de alcohol (229)

allergy (alergia)
Una enfermedad no contagiosa a causa de la cual el cuerpo de una persona reacciona a cierta sustancia (176)

anaerobic exercise (ejercicio anaeróbico)
Actividad física que hace que tus músculos sean más fuertes y más grandes (100)

antibodies (anticuerpos)
Sustancias químicas que el cuerpo produce para combatir las enfermedades (167)

arteries (arterias)
Vasos sanguíneos que transportan la sangre desde el corazón (22)

arthritis (artritis)
Una enfermedad no contagiosa a causa de la cual las articulaciones del cuerpo se dañan y causan dolor (179)

asthma (asma)
Una enfermedad no contagiosa del aparato respiratorio; causa problemas para respirar (177)

bacteria (bacterias)
Seres vivientes unicelulares; la mayoría son inofensivos, pero algunos pueden causar enfermedades (162)

balanced diet (dieta equilibrada)
Una dieta que consiste en una cantidad de alimentos saludables de cada uno de los grupos de alimentos (69)

basic needs (necesidades básicas)
Las necesidades físicas, mentales, emocionales y sociales que tienen las personas (252)

blended family (familia combinada)
Una familia que se forma cuando un padre y una madre solteros con hijos se casan (283)

brain (cerebro)
El órgano que controla el sistema nervioso (12)

bronqui (bronquios)
Los dos conductos que transportan el aire de la tráquea a los pulmones (20)

bully (matón)
Una persona que hiere o atemoriza a otros, especialmente a aquéllos que son más pequeños, más débiles, diferentes o que están solos (149)

caffeine (cafeína)
Una droga que se encuentra en el café, el té, el chocolate y algunas bebidas de refresco (196)

cancer (cáncer)
Una enfermedad a causa de la cual células del cuerpo que no son normales crecen fuera de control (175)

capillaries (capilares)
Los diminutos vasos sanguíneos que llevan sangre a los tejidos (22)

carbohydrates (carbohidratos)
Los almidones y azúcares que son la principal fuente de energía del cuerpo (60)

cavity (caries)
Un hueco en un diente (36)

cell (célula)
La parte más pequeña del cuerpo con funcionamiento propio (4)

cocaine (cocaína)
Una droga potente elaborada con las hojas de la planta de coca (202)

communicable disease (enfermedad contagiosa)
Una enfermedad que se puede propagar de una persona a otra (158)

compassion (compasión)
Un entendimiento de las necesidades y sentimientos de otros (268)

compromise (acuerdo)
Una solución en la que cada parte de un conflicto cede algo de lo que quiere (263)

conflict (conflicto)
Un desacuerdo entre personas que tienen diferentes necesidades o deseos (262)

conflict resolution (resolución de conflictos)
Resolver un problema entre personas (262)

conservation (conservación)
El uso cuidadoso de los recursos para que duren más tiempo (324)

consumer (consumidor)
Una persona que compra un producto (48)

cooperate (cooperar)
Trabajar de manera servicial con los demás (296)

© Harcourt

D

dermis (dermis)
La capa inferior gruesa de la piel; contiene vasos sanguíneos y nervios (33)

diabetes (diabetes)
Una enfermedad no contagiosa a causa de la cual el cuerpo deja de producir insulina y por lo tanto no puede usar el azúcar adecuadamente (178)

diaphragm (diafragma)
El músculo ubicado debajo de tus pulmones que ayuda al aire a entrar y salir de los pulmones (21)

disease (enfermedad)
Una afección que daña o debilita parte del cuerpo (158)

dose (dosis)
La cantidad de un medicamento que debes tomar cada vez que lo usas (191)

drug (droga)
Una sustancia que no es un alimento y que afecta la forma en que el cuerpo funciona (188)

drug dependence (dependencia de una droga)
La necesidad de tomar una droga tan sólo para sentirse normal (201)

E

emergency (emergencia)
Una situación en la cual se necesita ayuda de inmediato (116)

environment (medio ambiente)
Todo lo viviente y no viviente que te rodea, incluyendo plantas, animales, aire, agua, suelo, edificios y caminos (304)

epidermis (epidermis)
La capa superior de la piel (32)

esophagus (esófago)
Un órgano con forma de tubo que empuja los alimentos desde tu boca hacia tu estómago (16)

© Harcourt

expiration date (fecha de vencimiento)
Una fecha en el envase de un medicamento que te indica cuándo un medicamento no se debe usar (192)

extended family (familia extensa)
Una familia que incluye a otros miembros además de los padres y los hijos; puede incluir abuelos u otros parientes (283)

family emergency plan (plan de familia para emergencias)
Los pasos que tu familia toma para permanecer a salvo durante una emergencia (118)

fats (grasas)
Nutrientes que le dan a tu cuerpo más energía que cualquier otro tipo de nutriente (61)

flood (inundación)
Un desbordamiento de agua sobre terreno normalmente seco (139)

food guide pyramid (pirámide alimenticia)
Un diagrama que ayuda a las personas a elegir alimentos para una dieta saludable (69)

food poisoning (intoxicación por alimentos)
Una enfermedad causada por haber comido alimentos que contienen gérmenes (84)

fungi (hongos)
Formas de vida simples, tales como el moho, la levadura y las setas; algunos hongos pueden causar enfermedades (163)

gang (pandilla)
Un grupo de personas que consumen y venden drogas, portan armas y se valen de la violencia para cometer delitos (150)

goal (meta)
Algo por lo que estás dispuesto a trabajar (255)

graffiti (graffiti)
Escritura o dibujo hechos en propiedad pública o privada sin permiso (308)

habit (hábito)
Algo que haces con tanta frecuencia que ni siquiera piensas en ello (72)

hazard (riesgo)
Un objeto o condición que hacen que un lugar no sea seguro (122)

heart (corazón)
El órgano que bombea la sangre por el cuerpo (22)

hurricane (huracán)
Una tormenta que se forma en el océano; carga fuertes vientos y lluvia torrencial y puede causar inundaciones (139)

illegal drug (droga ilegal)
Una droga que no es un medicamento y que es contra la ley vender, comprar, tener o consumir (200)

immune system (sistema inmunológico)
El sistema del cuerpo que combate las enfermedades (166)

immunity (inmunidad)
La capacidad del cuerpo para combatir agentes patógenos (167)

infection (infección)
El crecimiento de agentes patógenos en el cuerpo (163)

ingredients (ingredientes)
Todo lo que se usa para hacer un alimento, medicamento, producto para el cuidado de la salud o producto para uso en el hogar (81)

inhalants (inhalantes)
Sustancias que tienen vapores que algunas personas usan como drogas (197)

intoxicated (embriagado)
Un estado en el que una persona está fuertemente afectada por beber demasiado alcohol (228)

large intestine (intestino grueso)
El último órgano del aparato digestivo; extrae el agua para formar desechos sólidos (17)

lens (cristalino)
En el ojo, la parte clara y curva que dirige la luz para formar una imagen en la parte posterior del ojo (42)

lifeguard (salvavidas)
Una persona entrenada para rescatar a personas que corren peligro de ahogarse (128)

lightning (relámpago)
Una descarga grande de electricidad entre las nubes y el suelo; puede lesionar o matar a las personas, ocasionar incendios y dañar la propiedad (139)

lungs (pulmones)
Órganos que permiten que el oxígeno en el aire entre en tu cuerpo (21)

marijuana (marihuana)
Una droga ilegal hecha de la planta del cáñamo índico (200)

medicine (medicamento)
Una droga que se usa para tratar o curar un problema de salud (188)

minerals (minerales)
Nutrientes que ayudan a tu cuerpo a crecer y funcionar y que no son producto de seres vivos (62)

muscle (músculo)
Un órgano que se contrae y se relaja para producir movimiento (25)

muscular system (sistema muscular)
El sistema del cuerpo que le permite a tu cuerpo moverse (25)

natural resources (recursos naturales)
Materiales de la naturaleza que las personas usan para satisfacer sus necesidades; incluyendo rocas, minerales, plantas, animales, aire, luz solar, agua y suelo (312)

negotiate (negociar)
Trabajar juntos para resolver un conflicto (263)

nerves (nervios)
Manojos de fibras que transportan mensajes (12)

nervous system (sistema nervioso)
El sistema del cuerpo que coordina todas las actividades del cuerpo (12)

nicotine (nicotina)
Una sustancia química muy adictiva que se encuentra en el tabaco; acelera el sistema nervioso (219)

noncommunicable disease (enfermedad no contagiosa)
Una enfermedad que no se propaga de una persona a otra (159)

nonrenewable resources (recursos no renovables)
Recursos que tardan muchísimo tiempo para reponerse o que no es posible reponer (313)

nuclear family (familia nuclear)
Una familia que consiste en una madre, un padre y uno o más hijos (282)

nucleus (núcleo)
El centro de control de una célula (6)

nutrients (nutrientes)
Sustancias que el cuerpo puede usar (18)

nutritious (nutritivo)
Que tiene valor alimenticio (80)

organs (órganos)
Grupos de tejidos que trabajan en conjunto para realizar cierta función (7)

over-the-counter medicines (medicamentos de venta libre)
Medicamentos que se pueden comprar sin receta médica (191)

pathogens (agentes patógenos)
Organismos, tales como bacterias o virus, que causan enfermedades contagiosas (162)

peer pressure (influencia de compañeros)
La fuerte influencia que las personas de tu misma edad pueden tener sobre ti (207)

plaque (placa bacteriana)
Una capa pegajosa que se forma sobre tus dientes (36)

pollution (contaminación)
Materiales dañinos que hacen que el aire, el agua y el suelo no sean saludables (316)

posture (postura)
La posición del cuerpo al estar de pie o sentado (92)

prescription (receta médica)
La orden de un doctor para un medicamento (190)

prescription medicine (medicamento controlado)
Medicamento que sólo un adulto puede comprar siempre y cuando tenga la orden de un doctor (190)

privacy (privacidad)
Tiempo que pasas a solas (254)

proteins (proteínas)
Una clase de nutriente que te da energía y ayuda a formar y reparar tus células (61)

pupil (pupila)
En el ojo, la apertura por la cual entra la luz (42)

renewable resources (recursos renovables)
Recursos que la naturaleza puede reponer, por ejemplo, árboles (313)

resistance (resistencia)
La capacidad natural del cuerpo para combatir enfermedades (180)

rest (descanso)
Tiempo de calma para relajarse y darles al corazón, músculos y mente una oportunidad para disminuir su ritmo (102)

retina (retina)
En el ojo, la parte en la cual se forma la imagen; la imagen viaja al cerebro mediante señales de los nervios (42)

role model (modelo de conducta)
Una persona que da un buen ejemplo (272)

self-concept (autoconcepto)
La opinión que tienes sobre ti mismo (248)

self-confidence (autoconfianza)
Un buen sentimiento que tienes sobre lo que eres capaz de hacer (248)

self-control (autocontrol)
Tu capacidad para expresar tus sentimientos de manera responsable (258)

self-respect (amor propio)
El sentimiento que tienes cuando estás contento contigo mismo y orgulloso de lo que haces (206)

serving (porción)
La cantidad de un alimento que una persona debe comer en una comida (69)

side effects (efectos secundarios)
Cambios no deseados en el cuerpo, causados por un medicamento (189)

single-parent family (familia monoparental)
Una familia formada por un padre o madre y sus hijos (282)

skeletal system (sistema óseo)
El sistema del cuerpo compuesto por todos tus huesos; sostiene tu cuerpo, protege tus órganos y te permite moverte (24)

skull (cráneo)
Los huesos de tu cabeza que protegen tu cerebro (24)

small intestine (intestino delgado)
Un órgano con forma de tubo ubicado debajo del estómago; el cuerpo absorbe los nutrientes a través de sus paredes (16)

solid waste (desecho sólido)
Basura y desperdicios (317)

spine (espina dorsal)
También llamada columna vertebral; está formada por huesos pequeños que protegen la médula espinal (24)

stomach (estómago)
El órgano que mezcla los jugos digestivos con los alimentos (16)

system (sistema o aparato)
Un grupo de órganos que trabajan en conjunto (7)

tar (alquitrán)
Una materia oscura y pegajosa que cubre los pulmones y las vías respiratorias de los fumadores (219)

© Harcourt

tissue (tejido)
Un grupo de células del mismo tipo que trabajan en conjunto para realizar una función (7)

tornado (tornado)
Una tormenta de viento violenta que gira en forma de embudo (139)

trachea (tráquea)
El conducto que lleva aire a los bronquios; luego el aire pasa a los pulmones (20)

traditions (tradiciones)
Costumbres que los miembros de una familia siguen (282)

trait (rasgo)
Una característica, o cualidad, que una persona tiene (4)

vaccine (vacuna)
Un medicamento que puede prevenir cierta enfermedad (170)

values (valores)
Creencias firmes sobre la forma en que las personas deben comportarse y vivir (294)

veins (venas)
Vasos sanguíneos que llevan la sangre de regreso al corazón (22)

virus (virus)
La clase más pequeña de agente patógeno (162)

vitamins (vitaminas)
Nutrientes que ayudan a tu cuerpo a realizar ciertas funciones y que son producto de seres vivos (62)

water (agua)
Un nutriente necesario para la vida; ayuda a tu cuerpo a descomponer los alimentos y lleva los nutrientes a tus células (63)

weapon (arma)
Un objeto que se puede usar para matar, lastimar o amenazar a alguien (151)

Manual sobre la salud y la seguridad
Contenido

© Harcourt

Qué son las destrezas para la vida

Tener buena salud es más que saber lo que se debe comer o cómo mantenerse sano. También es necesario hacer un análisis crítico de esa información y saber cómo aplicarla en tu vida diaria. Usar las destrezas para la vida a fin de aplicar tus propios conocimientos sobre la salud puede ayudarte a alcanzar la meta de la buena salud.

Comunicarse

A fin de comunicarte bien, es necesario que expliques tus ideas, necesidades o sentimientos de modo que otros puedan comprenderte. También es necesario que escuches y que trates de entender lo que otros expresen.

Los pasos de la comunicación

1. Entiende a tu audiencia.

2. Da un mensaje claro.

3. Escucha atentamente y contesta todas las preguntas.

4. Reúne el aporte de opiniones de los demás.

Maneras de dar un mensaje claro

- Usa mensajes que enfaticen "yo".

- Usa un tono de voz respetuoso.

- Mira a las personas a los ojos.

- Expresa las ideas con claridad y en orden.

Tomar decisiones responsables

Cuando tú tomas decisiones, piensas en una serie de opciones y decides qué es lo más sensato que podrías hacer para evitar situaciones arriesgadas o riesgos para la salud.

Los pasos de la toma de decisiones

1. Indaga sobre las elecciones que podrías hacer.

2. Elimina las elecciones que son ilegales o que van contra las reglas de tu familia.

3. Pregúntate: ¿Cuál es el posible resultado de cada elección? ¿Demuestra buen carácter la elección?

4. Decídete por lo que parezca ser la mejor opción.

Qué son las destrezas para la vida

Manejar el estrés

Todos sentimos estrés. Saber cómo manejar tu estrés puede ayudarte a superar situaciones tensas o emocionantes.

Los pasos para manejar el estrés

1. Aprende qué se siente al tener estrés y qué lo causa.

2. Trata de determinar la causa del estrés.

3. Haz algo que te ayude a aliviar los sentimientos del estrés.

Maneras de aliviar el estrés

- Da una caminata, haz ejercicio o practica algún deporte.

- Habla con alguien de tu confianza sobre cómo te sientes.

- Mira una película o programa de televisión cómico.

Negarse

Saber qué decir *antes* de que te pidan que hagas algo que tú no quieres hacer puede mantenerte encaminado hacia la buena salud.

Cómo negarse

- Di **no** con firmeza, y plantea tus razones para decir **no**.

- Recuerda una consecuencia y continúa diciendo **no**.

- Sugiere hacer otra cosa.

- Repite **no** y aléjate. Deja la puerta abierta para que la otra persona se te una.

Otras maneras de negarse

- Continúa repitiendo **no**.

- Cambia de tema.

- Evita las situaciones problemáticas.

- Ignora a la persona. Hazte el desentendido.

© Harcourt

Qué son las destrezas para la vida

Resolver conflictos

Tú debes escoger y usar estrategias para comunicarte y propiciar un acuerdo a fin de encontrar soluciones a los problemas o para evitar la violencia.

Los pasos para resolver conflictos

1. Usa mensajes que enfaticen "yo" para decir cómo te sientes.
2. Escucha a la otra persona. Considera el punto de vista de la otra persona.
3. Habla sobre una solución.
4. Busca una solución en que ambas partes ganen.

Maneras de hablar sobre una solución

- Solicita un mediador.
- Márchate.
- Usa el sentido del humor.

Fijarse metas

Cuando te fijas metas, debes decidir sobre un cambio que deseas hacer y luego tomar medidas para que suceda el cambio.

Los pasos para fijarse metas

1. Escoge una meta.
2. Haz un plan con los pasos para alcanzar la meta. Determina si necesitarás ayuda.
3. Verifica tu progreso a medida que trabajas para alcanzar la meta.
4. Reflexiona sobre tu progreso hacia la meta y evalúa cómo avanzas.

© Harcourt

El desarrollo del buen carácter

Bondad	Civismo	Justicia	Respeto	Responsabilidad	Honradez

Éstos son los valores que elegimos para que nos guíen en nuestra vida diaria. Las reglas que derivan de estos valores son las normas generales de la buena conducta.

Bondad

"Es una de las compensaciones más hermosas de la vida, que ningún hombre pueda de buena fe intentar ayudar a otro sin beneficiarse a sí mismo".

—Ralph Waldo Emerson

Sí
- Apoya y valora a los miembros de la familia.
- Sé un buen amigo y comparte tus sentimientos.
- Demuestra preocupación por los demás.
- Agradece a quienes te ayuden
- Ayuda a las personas necesitadas.

No
- No seas egoísta.
- No esperes recompensa por ser bondadoso.
- No seas chismoso.
- No hieras los sentimientos de nadie.

¿Cómo demuestras TÚ la BONDAD?

Civismo

"Debemos aprender a vivir juntos como hermanos o perecer juntos como tontos".

—Martin Luther King, Jr.

Sí
- Enorgullécete de tu escuela, comunidad, estado y país.
- Obedece las leyes y las reglas y respeta la autoridad.
- Sé buen vecino.
- Ayuda a mantener tu escuela y tu vecindario seguros y limpios.
- Coopera con los demás.
- Protege el medio ambiente.

No
- No quebrantes reglas ni leyes.
- No desperdicies recursos naturales.
- No dañes la propiedad pública ni la de otras personas.
- No arrojes basura ni dañes el medio ambiente de otra manera.

¿Cómo demuestras TÚ el CIVISMO?

El desarrollo del buen carácter

Bondad	Civismo	Justicia	Respeto	Responsabilidad	Honradez

Éstos son los valores que elegimos para que nos guíen en nuestra vida diaria. Las reglas que derivan de estos valores son las normas generales de la buena conducta.

Justicia

"La justicia no puede ser sólo para un lado, sino que debe ser para ambos".

—Eleanor Roosevelt

Sí
- Sigue las reglas del juego.
- Juega con buen espíritu.
- Comparte.
- Espera tu turno.
- Escucha las opiniones de otros.

No
- No tomes más de lo que te corresponde.
- No seas mal perdedor ni mal ganador.
- No te aproveches de los demás.
- No culpes a otros sin razón.
- No te cueles en la fila.

¿Cómo demuestras TÚ la JUSTICIA?

Respeto

"Yo creo… que toda mente humana siente placer en hacerle el bien a otro".

—Thomas Jefferson

Sí
- Trata a los demás como te gustaría que te traten a ti.
- Acepta a las personas que no sean como tú.
- Sé cortés y usa buenos modales.
- Sé considerado con los sentimientos de los demás.
- Mantén la calma cuando estés enojado.
- Cultiva el amor propio y la autoconfianza.

No
- No digas malas palabras.
- No insultes ni avergüences a nadie.
- No amenaces ni intimides a nadie.
- No pegues ni lastimes a nadie.

¿Cómo demuestras TÚ el RESPETO?

© Harcourt

El desarrollo del buen carácter

Bondad	Civismo	Justicia	Respeto	Responsabilidad	Honradez

Éstos son los valores que elegimos para que nos guíen en nuestra vida diaria. Las reglas que derivan de estos valores son las normas generales de la buena conducta.

Responsabilidad

"La responsabilidad es el precio de la grandeza".

—Winston Churchill

Sí
- Practica el autocontrol.
- Expresa sentimientos, necesidades y deseos en forma adecuada.
- Practica buenos hábitos de salud.
- No corras riesgos.
- Sigue intentando. Da lo mejor de ti.
- Completa tus trabajos.
- Fíjate metas y llévalas a cabo.
- Sé un buen modelo de conducta.

No
- No fumes. No consumas alcohol ni otras drogas.
- No hagas nada que sea peligroso o destructivo.
- No te dejes llevar por la influencia de compañeros negativa.
- No niegues ni trates de justificar tus errores.
- No dejes tu trabajo para que otros lo hagan.
- No pierdas ni maltrates tus pertenencias.

¿Cómo demuestras TÚ la RESPONSABILIDAD?

Honradez

"Tus obras hablan con tal fuerza que no puedo oír lo que dices".

—Ralph Waldo Emerson

Sí
- Sé sincero. Di la verdad.
- Haz lo correcto.
- Da aviso sobre situaciones peligrosas.
- Sé confiable.
- Sé leal a tu familia, amigos y país.
- Cuida las cosas que pidas prestadas y devuélvelas sin demora.

No
- No digas mentiras.
- No hagas trampas.
- No robes.
- No rompas promesas.
- No tomes prestado sin pedir permiso.

¿Cómo demuestras TÚ la HONRADEZ?

© Harcourt

Manual sobre la salud y la seguridad

La buena nutrición

La Pirámide alimenticia

Ningún alimento o grupo alimenticio solo provee todo lo que tu cuerpo necesita para la buena salud. Por eso es importante que comas alimentos de todos los grupos alimenticios. La Pirámide alimenticia puede ayudarte a escoger alimentos saludables en las cantidades adecuadas. Si escoges más alimentos de los grupos en la parte inferior de la pirámide y menos alimentos del grupo del ápice de la pirámide, comerás los alimentos que le proveerán a tu cuerpo la energía para crecer y desarrollarse.

El número de porciones de cada grupo alimenticio, se sugiere para niños de entre 7 y 12 años de edad.

Grasas, aceites y dulces Comer con moderación.

Leche, yogurt y queso 3 porciones

Carne de res, de ave y de pescado, frijoles secos, huevos y nueces 2–3 porciones

Verduras 3–5 porciones

Fruta 2–4 porciones

Panes, cereales, arroz y pasta 6–9 porciones

© Harcourt

Más pirámides alimenticias

La Pirámide alimenticia del Departamento de Agricultura de Estados Unidos, o USDA por sus siglas en inglés (página 55), muestra alimentos comunes en Estados Unidos. Una dieta saludable también puede estar compuesta por alimentos de diferentes culturas y estilos de vida. Estas otras pirámides pueden ayudarte a incorporar alimentos nuevos en tu dieta. Usa la guía de porciones de la página 60 para las cuatro pirámides.

Los vegetarianos son personas que han decidido no comer carne de res, de ave o de pescado. Una dieta vegetariana equilibrada es tan saludable como una dieta equilibrada que incluya carnes.

Vegetariana

Grasas, aceites, dulces
Comer con moderación.

Frijoles secos, huevos, nueces, semillas y sucedáneos de carne
2–3 porciones

Leche, yogurt, queso
2–3 porciones

Verduras
3–5 porciones

Fruta
2–4 porciones

Pan, cereal, pasta y arroz
6–11 porciones

El número de porciones de cada grupo alimenticio se sugiere para adultos.

© Harcourt

Las partes de arriba de estas dos pirámides son diferentes de la parte de arriba de la pirámide en la página 55. Éstas sugieren comer productos del mar, aves, huevos y carne de res todas las semanas o meses en lugar de todos los días. Se recomienda, además, el uso moderado diario de aceites vegetales. ¿Qué otras diferencias observas?

Asiática

Mensual — Carne de res

Semanal — Dulces, huevos, carne de ave

A diario, optativo — Pescado, mariscos, lácteos

Aceites vegetales

A diario — Fruta | Frijoles secos, nueces, semillas, sucedáneos de carne | Verduras

Fideos, pan, arroz, mijo y otros granos

Mediterránea

Mensual — Carne de res

Dulces

Semanal — Huevos

Carne de ave

Pescado

Yogurt y queso

A diario — Aceite de oliva

Fruta | Frijoles secos y nueces | Verduras

Polenta, pan, pasta, papas, sémola, granos

La buena nutrición

Guías dietéticas para los estadounidenses

Estas guías provienen del USDA. Seguirlas te ayudará a tomar buenas decisiones sobre la nutrición y la salud. Tomar las decisiones correctas contribuirá a que te sientas en excelente estado.

Apunta a la buena condición física

- Apunta a un peso saludable. Consulta con un profesional de la salud para saber cuál es tu escala de peso saludable. Si es necesario, fíjate metas para lograr un peso mejor.

- Realiza actividad física todos los días. (Usa la Pirámide de actividades de la página 70 para planear las actividades de cada semana.)

Desarrolla una base saludable

- Usa una pirámide alimenticia para guiar tus decisiones sobre los alimentos.

- Todos los días, escoge una variedad de granos, tales como el trigo, la avena, el arroz y el maíz. Cuando puedas, escoge granos enteros.

- Todos los días, escoge una variedad de frutas y verduras.

- Mantén los alimentos en buen estado. (Sigue las sugerencias de las páginas 61–62 para preparar y guardar los alimentos adecuadamente.)

Escoge con sensatez

- Escoge una dieta que sea moderada en la cantidad total de grasa y baja en grasa saturada y colesterol.

- Escoge alimentos y bebidas que contengan poca azúcar. Reduce la cantidad de azúcar que consumes.

- Escoge alimentos que sean bajos en sal. Cuando prepares los alimentos, usa muy poca sal.

© Harcourt

Cómo calcular el tamaño de una porción

Escoger una variedad de alimentos es sólo la mitad de la cuestión. También es necesario que escojas las cantidades adecuadas. La tabla siguiente puede ayudarte a calcular el número de porciones que comes de tus alimentos favoritos.

Cómo calcular el tamaño de la porción

Grupo alimenticio	Cantidad de alimento en una porción	Maneras fáciles de calcular el tamaño de las porciones
Grupo de pan, cereal, arroz y pasta	$\frac{1}{2}$ taza de pasta, arroz o cereal cocido 1 rebanada de pan, $\frac{1}{2}$ bagel 1 taza de cereal listo para comer (seco)	cuchara para servir helado
Grupo de verduras	1 taza de verduras de hoja crudas $\frac{1}{2}$ taza de otras verduras, cocidas o picadas crudas $\frac{1}{2}$ taza de salsa de tomate	tamaño aproximado a una pelota de tenis
Grupo de fruta	1 manzana, pera o naranja mediana 1 plátano mediano $\frac{1}{2}$ taza de fruta picada o cocida 1 taza de fruta fresca 4 oz de jugo de fruta	tamaño aproximado a una pelota de béisbol
Grupo de leche, yogurt y queso	$1\frac{1}{2}$ oz de queso 8 oz de yogurt 8 oz de leche	tamaño aproximado a tres piezas de dominó
Grupo de carne de res, de ave y de pescado, frijoles secos, huevos y nueces	2–3 oz de carne magra de res, ave o pescado 2 cucharadas de mantequilla de cacahuate $\frac{1}{2}$ taza de frijoles secos cocidos	tamaño aproximado a un ratón de computadora
Grupo de grasas, aceites y dulces	1 cucharadita de margarina o mantequilla	tamaño aproximado a la punta de tu dedo pulgar

Cómo combatir las bacterias

Probablemente ya sepas que debes botar todo alimento que huela mal o que se vea mohoso. Pero no es necesario que un alimento luzca o huela mal para que te enferme. Para mantener tus alimentos saludables y evitar enfermarte, sigue los cuatro pasos para combatir las bacterias. Y recuerda, si no estás seguro, ¡bótalo!

- **Limpia** Lava tus manos y las superficies con frecuencia.
- **Separa** Impide la contaminación cruzada.
- **Enfría** Refrigera sin demora.
- **Cocina** Cocina a la temperatura adecuada.

Sugerencias para el manejo seguro de los alimentos

Sugerencias para la preparación de alimentos

- Lava tus manos con agua caliente y jabonosa antes de preparar los alimentos. Además, lava tus manos después de preparar cada plato.
- Descongela las carnes en un microondas o en el refrigerador, no sobre la superficie de trabajo de la cocina.
- Mantén la carne de res, las aves y el pescado crudos y sus jugos separados de otros alimentos.
- Lava las tablas de cortar carne, cuchillos y superficies de trabajo inmediatamente después de haber cortado carne de res, de ave o de pescado. Nunca uses la misma tabla de cortar carnes y verduras sin lavarla muy bien antes.

Sugerencias para cocinar los alimentos

- Cocina todos los alimentos completamente, en especial la carne. Cocinar los alimentos completamente mata las bacterias que podrían enfermarte.
- Las carnes rojas se deben cocinar a una temperatura de 160°F. Las aves deben cocinarse a 180°F. Cuando el pescado está listo, se desmenuza fácilmente con un tenedor.
- Los huevos deben cocinarse hasta que las yemas estén firmes. Nunca comas alimentos que contengan huevos crudos, tales como la masa para galletitas sin cocinar.

Sugerencias para limpiar la cocina

- Lava toda la vajilla, utensilios y superficies de trabajo con agua caliente y jabonosa.
- Guarda los sobrantes de comida en recipientes pequeños que se enfríen rápidamente en el refrigerador.

© Harcourt

La actividad física

Guías para un buen programa de ejercicios

Hay tres cosas que tienes que hacer cada vez que vayas a hacer ejercicio: calentamiento, ejercicio y enfriamiento.

Calentamiento: Cuando haces calentamiento, tu ritmo cardiaco y respiratorio, así como también la temperatura corporal, aumentan y comienza a circular más sangre hacia tus músculos. A medida que tu cuerpo se calienta te puedes mover con mayor facilidad. Las personas que hacen calentamiento están menos rígidas después del ejercicio y es menos probable que sufran lesiones asociadas con el ejercicio. Tu calentamiento debe incluir cinco minutos de estiramiento y cinco minutos de una forma leve de tu programa de ejercicios. En las páginas 66–67 se muestran algunos ejercicios de estiramiento sencillos.

Programa de ejercicios: La parte principal de tu rutina de ejercicios debe ser un ejercicio aeróbico que dure entre veinte y treinta minutos. Los ejercicios aeróbicos fortalecen tu corazón, pulmones y aparato circulatorio.

En las páginas 64–65 se muestran algunos ejercicios aeróbicos comunes. Podrías combinar las actividades que hagas. De este modo, ejercitas diferentes grupos de músculos, lo que con el tiempo, resulta en un mejor programa de ejercicios.

Enfriamiento: Cuando termines de hacer tu ejercicio aeróbico, es necesario que le des tiempo a tu cuerpo para que se enfríe. Comienza tu estiramiento con una actividad de baja intensidad que dure entre tres y cinco minutos. Termina con ejercicios de estiramiento para prevenir el dolor y la rigidez.

La actividad física
Desarrollar la fortaleza del corazón y los pulmones

Las actividades aeróbicas causan la respiración profunda y el ritmo acelerado del corazón durante un mínimo de veinte minutos. Estas actividades benefician tanto a tu corazón como a tus pulmones. Debido a que tu corazón es un músculo, se fortalece con el ejercicio. Un corazón fuerte no tiene que trabajar tanto para bombear la sangre al resto de tu cuerpo. El ejercicio permite además que tus pulmones contengan más aire. Con un corazón y pulmones fuertes, tus células reciben el oxígeno con más rapidez y tu cuerpo funciona con mayor eficacia.

▲ **Natación** La natación es estupenda para la resistencia y la flexibilidad. Aunque no seas un gran nadador, puedes usar una tablilla y divertirte sencillamente pataleando en la piscina, lo cual resulta en un excelente ejercicio. Haz natación solamente cuando haya un salvavidas presente.

◄ **Patín en línea** Recuerda usar un casco siempre que patines. Además, usa coderas y rodilleras siempre y no olvides las muñequeras. Aprender a patinar, detenerte y caer correctamente contribuirá a que no te lastimes.

▼ Caminar Una caminata de ritmo rápido es una excelente forma de desarrollar tu resistencia. El único equipo que necesitas es un buen par de zapatos que te den apoyo. Caminar con un amigo puede hacer que este ejercicio sea muy divertido.

▲ Saltar la cuerda Saltar la cuerda es una de las mejores maneras de aumentar tu resistencia. Recuerda que debes saltar en una superficie nivelada y usar calzado que te dé buen apoyo.

▼ Ciclismo El ciclismo es una buena actividad aeróbica y una estupenda forma de ver los alrededores. Asegúrate de aprender y seguir las reglas de la carretera. ¡*Siempre* usa tu casco!

© Harcourt

La actividad física

Estiramiento para calentamiento y enfriamiento

Antes de hacer ejercicio, debes calentar tus músculos. Los estiramientos para el calentamiento que se muestran aquí deben sostenerse por un mínimo de entre quince y veinte segundos y hay que repetirlos al menos tres veces. Al final de tu programa de ejercicio, dedica unos dos minutos a repetir algunos de esos estiramientos.

► **Estiramiento de sentarse y alcanzar**
SUGERENCIA: Recuerda flexionar la cintura. Mantén tus ojos en las puntas de tus pies.

◄ **Estiramiento del corredor de vallas**
SUGERENCIA: Mantén los dedos del pie de la pierna estirada apuntando hacia arriba.

► **Estiramiento de la parte superior de la espalda y de los hombros**
SUGERENCIA: Trata de estirar tu mano hacia abajo de modo que descanse en forma plana contra tu espalda.

© Harcourt

▼ Estiramiento de muslo

SUGERENCIA: Mantén ambas manos planas contra el piso. Inclínate hacia adelante lo más que puedas.

▶ Estiramiento de pantorrilla

SUGERENCIA: Mantén ambos pies en el piso durante este estiramiento. Trata de cambiar la distancia entre tus pies. ¿Te resulta mejor el estiramiento cuando tus piernas están más juntas o más separadas?

▼ Estiramiento de hombros y tórax

SUGERENCIA: Extender tus manos lentamente hacia el piso produce un mejor estiramiento. Mantén tus codos rectos pero no trabados.

Sugerencias para el estiramiento

- No hagas movimientos bruscos al estirarte.

- Recuerda sostener cada estiramiento durante quince a veinte segundos.

- Respira normalmente. Esto ayuda a tu cuerpo a obtener el oxígeno que necesita.

- NO te estires hasta que te duela. Estírate sólo hasta sentir un leve tirón.

© Harcourt

La actividad física
El Reto del presidente

El Reto del presidente es un programa para la buena condición física de los estudiantes de 6 a 17 años de edad. Consiste en un máximo de cinco actividades que promueven la buena condición física. Cada participante recibe un emblema y un certificado firmado por el Presidente.

Los cinco premios

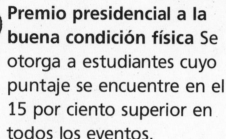

Premio presidencial a la buena condición física Se otorga a estudiantes cuyo puntaje se encuentre en el 15 por ciento superior en todos los eventos.

Premio nacional a la buena condición física Se otorga a estudiantes cuyo puntaje se encuentre en el 50 por ciento superior en todos los eventos.

Premio a la salud y buena condición física Se otorga a todos los demás participantes.

Premio a la buena condición física del participante Se otorga a los estudiantes que completen todos los eventos pero cuyo puntaje sea inferior al del 50 por ciento superior en uno o más eventos.

Premio al estilo de vida activo Reconoce a los estudiantes que participan en actividades físicas de cualquier tipo a diario, cinco veces a la semana, 60 minutos al día u 11,000 pasos de podómetro durante seis semanas.

Las cinco actividades

1. **Los ejercicios abdominales** miden la fortaleza de los músculos del abdomen.

- Acuéstate en el piso con tus brazos cruzados sobre tu pecho y tus piernas flexionadas. Pide a un compañero que sostenga tus pies.

- Levanta la parte superior de tu cuerpo del piso y luego bájala hasta que apenas toque el piso.

- Repite tantas veces como puedas en un minuto.

2. La carrera de ida y vuelta mide la fortaleza y resistencia de las piernas.

- Corre hacia los bloques y recoge uno.
- Tráelo de vuelta a la línea de partida.
- Repite con el otro bloque.

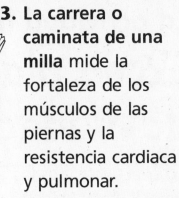

3. La carrera o caminata de una milla mide la fortaleza de los músculos de las piernas y la resistencia cardiaca y pulmonar.

- Corre o camina una milla lo más rápido que puedas.

4. Los ejercicios de barra miden la fortaleza y resistencia de los músculos de brazos y hombros.

- Cuélgate por tu brazos de una barra.
- Alza tu cuerpo hasta que tu mandíbula quede sobre la barra. Baja tu cuerpo otra vez sin tocar el piso.
- Repite cuantas veces puedas.

5. El estiramiento sentado en V mide la flexibilidad de tus piernas y espalda.

- Siéntate en el piso con tus pies detrás de la línea.
- Estira tus brazos hacia la línea lo más que puedas.

La actividad física

Cómo planear tus actividades semanales

Ser activo todos los días es importante para tu salud general. La actividad física te ayuda a manejar el estrés, a mantener un peso saludable y fortalece tus sistemas y aparatos corporales. La Pirámide de actividades, al igual que la Pirámide alimenticia, puede ayudarte a escoger entre una variedad de opciones en la medida correcta para mantener tu cuerpo fuerte y saludable.

La Pirámide de actividades

Estar sentado quieto
Mirar televisión, jugar en la computadora
Poco tiempo

Ejercicios moderados
Jugar, trabajar en el jardín, softball
2–3 veces a la semana

Ejercicios de fortaleza y flexibilidad
Entrenamiento con pesas, bailar, ejercicios de barra
2–3 veces a la semana

Ejercicios aeróbicos
Ciclismo, carrera, fútbol, senderismo
30+ minutos, 2–3 veces a la semana

Actividades rutinarias
Ir a pie a la escuela, usar las escaleras, ayudar con tareas del hogar
Todos los días

Primeros auxilios

Para hemorragias: Precauciones universales

Puedes contraer enfermedades de la sangre de una persona. Evita tocar la sangre de cualquier otra persona. Para tratar una lesión sigue los pasos a continuación.

Si otra persona está sangrando

1 Lava tus manos con jabón si es posible.

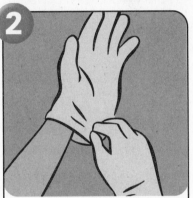

2 Ponte guantes protectores, si los hay.

3 Lava las heridas pequeñas con agua. No laves heridas mayores.

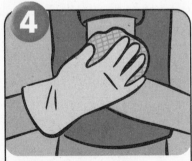

4 Coloca una gasa o paño limpio sobre la herida. Presiona con firmeza durante diez minutos. Durante ese tiempo, no levantes la gasa.

5 Si no tienes guantes, haz que la persona herida sostenga la gasa o tela en su lugar con su propia mano.

6 Si después de diez minutos la hemorragia se ha detenido, cubre la herida con una venda. Si la hemorragia no se ha detenido continúa presionando sobre la herida y busca ayuda.

Si tú estás sangrando no es necesario que evites tocar tu propia sangre.

Para quemaduras

- Las quemaduras menores se llaman quemaduras de primer grado y sólo afectan la primera capa de piel. La piel está roja y seca y la quemadura es dolorosa.

- Las quemaduras de segundo grado causan daño más profundo. Estas quemaduras causan ampollas, enrojecimiento, hinchazón y dolor.

- Las quemaduras de tercer grado son las más graves porque dañan todas las capas de la piel. La piel por lo general está blanca o carbonizada. El área podría sentirse entumecida porque las terminaciones nerviosas han sido destruidas.

Todas las quemaduras requieren primeros auxilios inmediatos.

Quemaduras menores

- Deja correr agua fresca sobre la quemadura o remójala durante un mínimo de cinco minutos.
- Cubre la quemadura con una venda limpia y seca.
- No apliques una loción o ungüento sobre la quemadura.

Quemaduras más graves

- Cubre la quemadura con una venda o un paño fresco y mojado.
- No rompas las ampollas.
- No apliques una loción o ungüento sobre la quemadura.
- Busca la ayuda de un adulto de inmediato.

Para hemorragias nasales

- Siéntate e inclina tu cabeza hacia adelante. Aprieta las fosas nasales por un mínimo de diez minutos.

- También puedes colocar una bolsa de hielo cubierta con un paño sobre el caballete nasal.

- Si tu nariz continúa sangrando, busca la ayuda de un adulto.

© Harcourt

Para asfixia

Si otra persona se está asfixiando

1

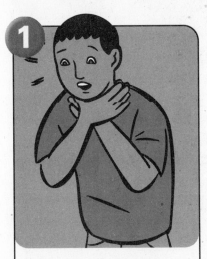

Reconoce la Señal Universal de la Asfixia: asirse el cuello con las dos manos. Esta señal significa que una persona se está asfixiando y necesita ayuda.

2

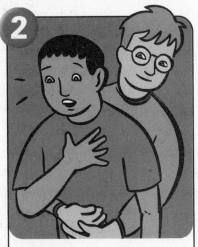

Párate detrás de la persona que se está asfixiando y rodea su cintura con tus brazos. Coloca tu puño por encima del ombligo de la persona. Sujeta tu puño con tu otra mano.

3

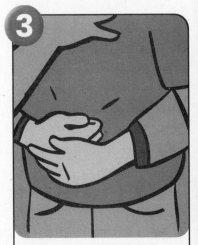

Empuja hacia ti con tus manos aplicando cinco golpes de presión rápidos, firmes y hacia arriba en el estómago de la persona.

Si tú te estás asfixiando y estás solo

1 Cierra tu mano en un puño y colócala por encima de tu ombligo. Sujeta tu puño con la otra mano. Empuja hacia arriba con tus manos aplicando un golpe de presión rápido y firme.

2 O, mantén tus manos sobre tu estómago, inclina tu cuerpo sobre el respaldo de una silla o sobre un mueble y empuja tu puño hacia adentro y hacia arriba.

© Harcourt

Para emergencias dentales

Es importante que sepas qué hacer ante una emergencia dental.

Diente roto

- Enjuaga tu boca con agua tibia. Envuelve una bolsa de hielo con un paño, y colócala en el área de la lesión. Conserva las partes del diente roto. Llama al dentista de inmediato.

Diente permanente caído

- Encuentra el diente y límpialo con mucho cuidado. Sujétalo por la parte superior (la corona), no por la raíz. Si puedes, vuelve a ponerlo en su cavidad. Para mantenerlo en su lugar pon un trozo de paño limpio en tu boca y muerde sobre él. Si no se puede volver a colocar el diente, ponlo en un vaso de leche o agua. Ve al dentista de inmediato porque es importante no perder tiempo para poder salvar el diente.

Lengua o labio mordido

- Con un paño, aplica presión sobre el área que esté sangrando. Usa una bolsa de hielo envuelta en un paño para detener la hinchazón. Si en quince minutos no se ha detenido el sangrado, ve a la sala de emergencia de un hospital.

Alimento/objeto alojado entre los dientes

- Usa hilo dental para remover el alimento u objeto con cuidado. Nunca uses nada afilado para extraer algo que esté atrapado entre tus dientes. Si no lo puedes sacar, llama a tu dentista.

© Harcourt

Para picaduras y aguijonazos de insectos

- Siempre avisa a un adulto en caso de picaduras y aguijonazos.
- Con tu uña, remueve el aguijón.
- Lava el área con agua y jabón.
- Por lo general, un cubito o bolsa de hielo cubierta con un paño aliviará el dolor de una picadura de insecto. Una pasta hecha con bicarbonato de sodio y agua también ayuda.
- Si la picadura o aguijonazo es más grave y está en un brazo o pierna, mantén la pierna o brazo colgando. Aplica un paño frío y mojado. Busca ayuda de inmediato.

- Si encuentras una garrapata en tu piel, quítala. Protege tus dedos con un pañuelo de papel o un paño para prevenir el contacto con líquidos infecciosos de la garrapata. Si tienes que tocar la garrapata con las manos, lávalas inmediatamente.
- Si la garrapata ya te picó, pide a un adulto que la quite. Con una pinza, un adulto debe sujetar la garrapata tan cerca de tu piel como sea posible y arrancarla de un tirón. No uses vaselina o aceite porque eso podría provocar que la garrapata resista y secrete su líquido infeccioso. Lava el área de la picadura a fondo.

Para sarpullidos de la piel causados por plantas

Muchas plantas venenosas tienen grupos de tres hojas. Recuerda ese dato para tu seguridad. Si tocas una planta venenosa, lava el área y tus manos. Si te sale un sarpullido, sigue estas sugerencias.

- Aplica loción de calamina o una pasta de bicarbonato de sodio y agua. Trata de no rascarte. Avísale a un adulto.
- Si te salen ampollas, no las revientes. Si se revientan solas, mantén el área limpia y seca. Si el sarpullido no se te va en dos semanas o si lo tienes en tu cara o en los ojos, ve al doctor.

Una escuela libre de drogas

Muchas escuelas crean reglas y patrocinan actividades para alentar a las personas a decir *no* a las drogas. Esto hace de las escuelas un ambiente más saludable para todos.

Reglas de la escuela

Muchas escuelas deciden ser zonas libres de drogas. Por lo general, cuentan con estrictas medidas que aplican a quien descubran con drogas. Por ejemplo, quien sea descubierto con drogas podría ser suspendido o expulsado de la escuela.

Influencia de compañeros positiva

La influencia de los compañeros puede ser buena o mala. La influencia de compañeros positiva se da cuando personas de la misma edad se alientan mutuamente para tomar decisiones saludables. Por ejemplo, los estudiantes podrían diseñar posters o hacer demostraciones para alentar a otros estudiantes a decidir no consumir drogas.

Qué hacer cuando otros consumen drogas

Tú debes comprometerte a no consumir alcohol, tabaco u otras drogas. Pero, cerca de ti, podría haber estudiantes o adultos que tomen decisiones no saludables sobre las drogas. He aquí lo que puedes hacer.

Conoce las señales

Si alguien tiene un problema de drogas, podría estar triste o enojado todo el tiempo, faltar a la escuela o al trabajo u olvidar eventos con frecuencia.

Habla con un adulto de confianza

No guardes en secreto el consumo de drogas de una persona. Habla con un adulto de confianza y pídele ayuda. También puedes acudir a los adultos en busca de apoyo para resistir la presión a consumir drogas.

Brinda tu apoyo

Si una persona ha decidido dejar de consumir drogas, ayúdala a hacerlo. Sugiere actividades sanas que puedan hacer juntos. Dile a la persona que te alegra saber que haya dejado de consumir drogas.

Mantente saludable

No te quedes en ningún lugar donde se consuman drogas. Si no puedes irte, mantente tan apartado de las drogas como te sea posible.

> **Dónde buscar ayuda**
> - Hospitales
> - Alateen
> - Alcohólicos Anónimos
> - Narcóticos Anónimos
> - Al-Anon
> - Centros de tratamiento contra drogas

Alcohol, tabaco y otras drogas
Drogas y medicamentos

- Un medicamento es una droga que se usa para tratar o curar una enfermedad. Una droga es una sustancia, que no es un alimento, que cambia el funcionamiento del cuerpo. Todos los medicamentos son drogas, pero no todas las drogas son medicamentos.

- Todos los medicamentos, ya sean comprados con receta médica o de venta libre, se deben usar con mucho cuidado. Cuando no se usan como es debido pueden perjudicarte.

- Una droga ilegal es una droga que no es un medicamento y cuya venta, compra, tenencia o consumo van contra la ley. Los consumidores de drogas dañan su salud y quebrantan la ley cuando usan drogas ilegales.

- Es necesario que tengas valor y autocontrol para negarte a consumir drogas cuando te las ofrecen. Habla con un adulto de confianza si necesitas ayuda para negarte a las drogas.

Recuerda, si tienes un problema, no intentes hacerle frente solo.

La seguridad y las mochilas

Cargar una mochila demasiado pesada puede lesionar tu espalda. También podrías lesionarte si no la cargas como corresponde.

Peso adecuado

Una mochila llena no debe pesar más que entre un 10 y 15 por ciento del peso de tu cuerpo. Menos es mejor. Para hallar el 10 por ciento, divide tu peso corporal por 10. He aquí algunos ejemplos:

Tu peso (libras)	Peso máximo de la mochila (libras)
60	6
65	$6\frac{1}{2}$
70	7

Ésta es la forma correcta de cargar una mochila.

Uso seguro

- Usa una mochila con tirantes anchos y acolchados y que también sea acolchada en la parte que va contra la espalda.
- No la llenes demasiado. Deja lo que no necesites en casa.
- Coloca los artículos más pesados en la parte que va más cerca de tu espalda.
- Pon los dos tirantes sobre tus hombros para cargar la mochila.
- Nunca cargues la mochila cuando montas en bicicleta. El peso interfiere con tu habilidad para mantener el equilibrio. Usa el canasto de la bicicleta o una bolsa tipo alforja.

Ésta es la forma incorrecta de cargar una mochila.

© Harcourt

Inspección de seguridad de una bicicleta

Una bicicleta segura debe ser del tamaño adecuado para ti.

- Sentado en la bicicleta con el pedal en la posición más baja, debes poder apoyar tu talón sobre el pedal.
- Si estás parado con una pierna a cada lado de la bicicleta y ambos pies planos contra el suelo, tu cuerpo debe estar a 2 pulgadas por encima de la barra del cuadro que va del manillar al asiento.

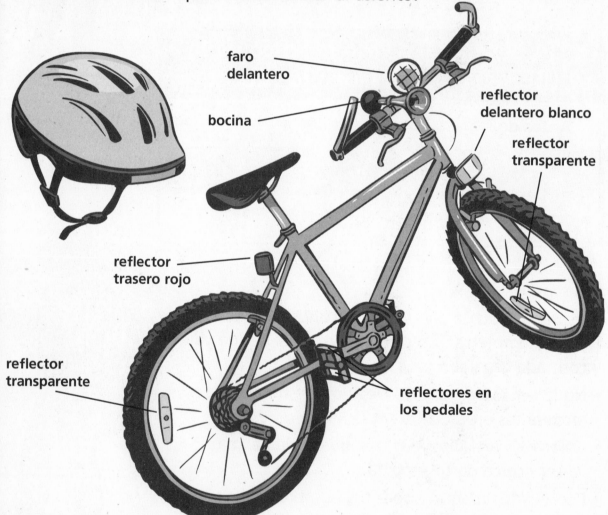

faro delantero

bocina

reflector delantero blanco

reflector transparente

reflector trasero rojo

reflector transparente

reflectores en los pedales

Una bicicleta debe tener todo el equipo de seguridad que se muestra arriba. ¿Pasa la prueba *tu* bicicleta?

Salud y seguridad
La seguridad al montar en bicicleta

A continuación te presentamos algunas sugerencias para la seguridad en bicicleta.

- Siempre usa tu casco para montar en bicicleta aunque vayas a recorrer una distancia corta.

- Cada vez que vayas a montar en tu bicicleta, inspecciónala. ¿Está en buenas condiciones?

- Viaja en fila, en la misma dirección del tránsito. Nunca circules entre vehículos estacionados.

- Antes de ingresar en el tránsito de una calle, **DETENTE**. **Mira** hacia la izquierda, la derecha y otra vez a la izquierda. **Escucha** si se acerca algún vehículo. **Piensa** antes de arrancar.

- Al cruzar una calle, hazlo caminando con la bicicleta a tu lado. **Mira** hacia la izquierda, la derecha y otra vez a la izquierda. Espera a que pasen los vehículos.

- Obedece todas las señales y carteles de tránsito.

- No montes en bicicleta por la noche si no te acompaña un adulto. Si tienes que montar en bicicleta por la noche, usa ropa de colores claros, reflectores y luces delanteras y traseras.

Tu casco para montar en bicicleta

- Aproximadamente 500,000 niños tienen accidentes en bicicleta todos los años. Por eso es importante que siempre uses tu casco.

- Usa el casco como es debido. Debe ir bien apoyado sobre tu cabeza y las correas deben estar ceñidas de manera que el casco quede en su lugar si te caes.

- Si llegas a caerte y tu casco golpea contra el suelo, reemplázalo, aun si no parece estar dañado. Es posible que el relleno de espuma se haya aplastado y no te protegería si volvieras a caerte.

© Harcourt

Manual sobre la salud y la seguridad

Salud y seguridad
La seguridad y las tormentas

- **En un tornado** Refugiarse en un área protegida alejada de puertas y ventanas. Lo mejor es un corredor interior o un sótano. Permanecer en el refugio hasta que haya pasado el peligro.

- **En un huracán** Prepararse para vientos fuertes asegurando los objetos que estén afuera o guardándolos adentro. Cubrir ventanas y vidrios con madera terciada. Escuchar los boletines sobre el estado del tiempo para seguir instrucciones. Si hay que evacuar, dirigirse a refugios de emergencia.

- **En una tormenta de invierno o ventisca** Almacenar alimentos que no sea necesario cocinar. Vestir varias capas de ropa para conservar el calor del cuerpo. Prestar especial atención a la cabeza y cuello. Si se está atrapado en un vehículo, encender la luz interior para que el vehículo sea visible a las patrullas de rescate.

La seguridad y los terremotos

Un terremoto es un temblor o deslizamiento fuerte de la tierra. Las sugerencias siguientes pueden ayudarte a ti y a tu familia a permanecer a salvo en un terremoto.

Antes de un terremoto	Durante un terremoto	Después de un terremoto
• Se deben sujetar los muebles altos, tales como libreros, a la pared. Coloca los artículos más pesados en los estantes más bajos.	• Si estás afuera, quédate allí y aléjate de edificios y cables de electricidad.	• Mantenerse alerta a objetos que caen mientras las ondas posteriores continúen sacudiendo el área.
• Verificar que no haya riesgo de incendio. Un adulto debe sujetar los aparatos domésticos a gas al suelo con pernos y usar mangueras y conexiones flexibles para las líneas de gas y de agua.	• Si estás adentro, resguárdate debajo de un escritorio o mesa pesada o el marco de una puerta. Aléjate de puertas y ventanas de vidrio y de objetos pesados que puedan caerse.	• Hacer inspeccionar el edificio para detectar problemas estructurales ocultos.
• Un adulto debe sujetar y reforzar los artefactos de iluminación colgantes para evitar que se caigan.	• Si estás en un vehículo, haz que el conductor se dirija a un área abierta apartada de edificios y pasos elevados.	• Revisar las líneas de gas, electricidad y agua para detectar rupturas. Si sientes olor a gas, cierra la llave de paso del gas. Aléjate del área. Da aviso del escape.

© Harcourt

Salud y seguridad

1. DETENTE

2. DÉJATE CAER

La seguridad y los incendios

Los incendios causan más muertes que cualquier otro tipo de desastre. Pero un incendio no tiene por qué ser mortal si tú y tu familia preparan su hogar y siguen algunas reglas de seguridad básicas.

- Instalar detectores de humo cerca de los dormitorios y en otros pisos de la casa. Es necesario que una vez por mes se verifique que los detectores funcionen y cambiar las pilas dos veces al año.

- Tener un extintor de incendios en cada piso de la casa. Verificar todos los meses para asegurarse de que estén bien cargados.

- Elaborar un plan familiar para emergencias. Lo ideal sería que haya dos rutas de salida de cada habitación. Los dormitorios son sumamente importantes porque la mayoría de los incendios ocurren por la noche. El plan debe incluir sólo las escaleras, los ascensores son peligrosos en casos de incendio. Véanse las páginas 84–85 para más información sobre planes de emergencia.

- Escoger un lugar afuera donde todos se encuentren. Designar a una persona para que sea la que llame al departamento de bomberos o al 911 desde la casa de un vecino.

- Practicar cómo gatear bajo para evitar el humo.

- Si la ropa se enciende, se debe seguir los tres pasos ilustrados.

3. RUEDA

Plan familiar para emergencias

Al contar con un plan, tu familia puede protegerse durante una emergencia. Para elaborar un plan de emergencia, tu familia necesita reunir información, tomar algunas decisiones y practicar partes del plan.

Saber lo que puede suceder

Aprende las posibles situaciones de emergencia que podrían presentarse en tu área, tales como incendios, tormentas, terremotos o inundaciones. Haz una lista de las posibles emergencias.

Tener dos lugares de encuentro

Escoge dos lugares donde encontrarse. Un lugar debe estar en la cuadra de tu casa. El segundo lugar puede ser más lejos, por ejemplo, la entrada principal de tu escuela.

Saber quién es el punto de contacto de la familia

Escoge a alguien que viva lejos para que sea el punto de contacto. Cada miembro de la familia debe memorizar el nombre completo, el domicilio y el número de teléfono de esa persona.

Contacto fuera del estado

Ms. Jane Doe
43212 Janeway Blvd.
Big City, IL 12345
(123) 555-1234

© Harcourt

84 • Recursos de salud

Manual sobre la salud y la seguridad

Practicar una evacuación

Durante un incendio es necesario que evacues, o abandones, tu casa de inmediato. Usa tu lista de posibles emergencias para planear cómo hacer la evacuación. Haz una práctica de evacuación por lo menos dos veces por año.

▼ Esta mujer le está mostrando a su hija cómo cerrar la válvula principal del agua de su casa.

Aprender a cerrar las líneas de servicios públicos

El agua, la electricidad y el gas son los *servicios públicos*. Algunas emergencias podrían dañar caños o cables y convertirlos en un peligro. Con la ayuda de un adulto, aprende cuándo y cómo apagar o cerrar estos servicios. **CUIDADO:** Si cierras la llave de paso del gas, será necesario que la abra un profesional.

▲ válvula de cierre del agua, fuera de la casa

Preparar un equipo de provisiones para emergencias

Después de una emergencia, tu familia podría necesitar provisiones de primeros auxilios o alimentos. Tu familia puede usar una lista de la Cruz Roja Americana u otro grupo de asistencia en casos de desastres para preparar un equipo de provisiones para emergencias.

Salud y seguridad

La buena postura cuando trabajas en la computadora

La buena postura es muy importante cuando trabajas en la computadora. Para ayudar a prevenir el cansancio visual, la fatiga muscular y las lesiones, sigue las sugerencias siguientes. Recuerda también asir el ratón suavemente y hacer pausas frecuentes para estirarte.

parte superior de la pantalla a nivel de los ojos o apenas abajo

hombros alineados con las orejas y la cadera

cuello y hombros relajados

muñecas derechas

brazos a los lados, doblados como se muestra

pies planos contra el piso

© Harcourt

Salud y seguridad

Cómo evaluar sitios de Internet sobre la salud

Muchas personas encuentran información sobre la salud en Internet. Sin embargo, es importante recordar que prácticamente cualquiera puede poner información en Internet. A continuación te presentamos algunas preguntas que debes tener presentes cuando acudes a sitios Web sobre la salud.

¿Quién controla el sitio?

Busca fuentes que conozcas. Los sitios administrados por universidades y por el gobierno por lo general son más confiables (sus direcciones casi siempre terminan en .edu o .gov).

¿Quién lo dice?

La información de profesionales de la salud por lo general es confiable. Busca las iniciales de un título universitario, como por ejemplo *M.D.*, *R.N.*, o *Ph.D.* después del nombre del escritor.

¿Parece ser un buen sitio?

Un diseño mediocre y errores de ortografía o gramática son señales de un sitio menos confiable.

¿Están vendiendo algo?

Los sitios que venden productos o servicios podrían decirte sólo aquello que hace que sus productos luzcan bien.

¿Qué pruebas tienen?

Los relatos personales pueden sonar convincentes pero no son tan confiables como las pruebas. Busca sitios con pruebas basadas en investigaciones científicas.

¿Está de acuerdo todo el mundo?

Siempre trata de consultar más de una fuente. Si varios sitios están de acuerdo, es probable que la información sea confiable.

¡Corrobora tus datos!

Salud y seguridad
La seguridad en Internet

Puedes usar Internet para divertirte, educarte, investigar y mucho más. Sin embargo, como todo lo demás, debes usar Internet con cuidado. Algunas personas comparan Internet con una ciudad, no todas las personas que se encuentran allí son personas que te gustaría conocer y no todos los lugares son lugares donde te gustaría estar. Al igual que en una ciudad real, debes usar el sentido común y seguir las reglas de seguridad para protegerte. A continuación brindamos algunas reglas sencillas que puedes seguir para mantenerte a salvo en línea.

Reglas para la seguridad en línea

- Habla con un adulto de la familia a fin de establecer reglas para usar Internet. Decidan cuándo puedes usar Internet, por cuánto tiempo puedes estar en línea, y qué sitios son apropiados para ti. No accedas a otros sitios ni desobedezcas las reglas que te comprometas a seguir.

- No compartas información, como tu nombre, domicilio, número de teléfono, foto o el nombre o ubicación de tu escuela.

- Si encuentras información en línea que te haga sentir incómodo, o si recibes un mensaje malicioso o que te haga sentir incómodo, díselo a un miembro adulto de tu familia de inmediato.

- Nunca acuerdes encontrarte con nadie en persona. Si quieres reunirte con alguien que hayas conocido en Internet, pide permiso a un adulto primero. Si te permiten el encuentro, acuerda en un lugar público y ve con un adulto.

Salud y seguridad

La seguridad en el verano y en el patio de tu casa

Usa esta lista para identificar riesgos antes de jugar en el patio de tu casa o de la casa de un amigo.

Veneno La hiedra venenosa, las poinsetias, ciertas setas y las adelfas, son algunas de las plantas que son venenosas. Ten cuidado con los productos químicos que se usan en los patios, tales como fertilizantes, pesticidas, sustancias químicas para la piscina y productos para mascotas.

Fuego Ten cuidado con las parrillas, el líquido para encender carbón y las fogatas. El fuego puede crecer fuera de control con rapidez y pueden ocurrir accidentes antes de que alguien se dé cuenta de lo que está sucediendo.

Agua Nunca se debe desatender a los niños pequeños en la proximidad de piscinas para nadar o piscinas para niños ni de recipientes de agua grandes. Usa un chaleco salvavidas cuando vayas en bote. Usa zapatos para agua cuando andes sobre superficies mojadas y resbaladizas.

Herramientas para podar y herramientas eléctricas Ten mucho respeto por las máquinas podadoras de césped y todas las herramientas eléctricas. Nunca las dejes desatendidas donde un niño podría encenderlas.

Riesgo de estrangulación Ten cuidado con cercas, sobrecubiertas y con los pasamanos de escaleras. Las cuerdas de tender ropa y otras sogas pueden ser peligrosas si un niño pequeño se enreda en ellas. Siempre ten mucho cuidado cuando juegues en los columpios.

Caídas Recuerda usar el sentido común y los buenos modales en barras para trepar, escaleras y casas de juego en árboles. Empujar a otra persona puede causar cortaduras, huesos quebrados y dientes caídos.

Insectos y otros animales Recuerda que las garrapatas, los mosquitos, las abejas y otros insectos voladores pueden causar enfermedades o producir picaduras mortales. Un perro extraño que se aventure en el patio de tu casa podría ser peligroso y hay que evitarlo.

Sol Recuerda usar filtro solar, ponerte un sombrero y beber líquidos en cantidad cuando estés al sol. Las quemaduras de sol y la insolación pueden ponerle un rápido y doloroso fin a un día de diversión.

Salud y seguridad
Cuando estás solo en casa

Todos nos quedamos solos en casa en algún momento. Cuando estés solo en casa, es importante que sepas cuidarte. A continuación, te brindamos algunas reglas fáciles de seguir que te ayudarán a mantenerte sano y salvo cuando estés solo.

Haz lo siguiente

- Cierra con llave o cerrojo las puertas y ventanas. Asegúrate de que sabes cómo funcionan todos los cerrojos.

- Si alguien que es desagradable o grosero llama por teléfono, cuelga de inmediato. Cuéntale a un adulto sobre la llamada cuando llegue a casa. Tal vez tus padres desean que ni siquiera contestes el teléfono.

- Si tienes una emergencia llama al 911. Tendrás que describir el problema y dar tu nombre completo, dirección y número de teléfono. Sigue las instrucciones que te den. No cuelgues hasta que te digan que lo hagas.

- Si ves a alguien merodeando alrededor de tu casa, llama a un vecino o a la policía.

- Si ves o hueles humo, sal de inmediato. Si vives en un apartamento no uses el ascensor. Ve a la casa de un vecino y llama al 911 de inmediato.

- Entretente. El tiempo parecerá pasar más rápido si no estás aburrido. Trabaja en un pasatiempo, lee un libro o una revista, haz tu tarea o limpia tu habitación. Cuando menos lo esperes, llegará un adulto.

NO hagas lo siguiente

- NO uses la estufa, el microondas o el horno a menos que un miembro adulto de la familia te haya dado permiso y sepas cómo usar esos aparatos.

- NO le abras la puerta a nadie que no conozcas ni a nadie que no debería estar en tu casa.

- NO hables con extraños por teléfono. No le digas a nadie que estás solo en casa. Si la llamada es para un miembro adulto de la familia, di que en ese momento no puede atender el teléfono y toma un recado.

- NO invites a tus amigos a la casa a menos que tus padres o un miembro adulto de la familia te haya dado permiso para hacerlo.

Un identificador de llamadas te puede ayudar a decidir si debes contestar la llamada o no.

Dolencias

- Las personas contraen enfermedades que pueden transmitirse de una persona a otra. Enfermedades comunes, tales como resfriados, gripe, viruela, conjuntivitis y la infección séptica de la garganta son ejemplos de *enfermedades infecciosas*.

- Cuando estás enfermo, tus síntomas podrían incluir dolor de estómago u otras partes del cuerpo, fiebre o dolor de garganta.

- Si necesitas tomar medicamentos, debes tomarlos sólo cuando te los dé un adulto de confianza.

Otras enfermedades

- Otras enfermedades no se transmiten de una persona a otra. Enfermedades tales como las alergias, el cáncer, el asma y la diabetes se llaman *enfermedades no infecciosas* porque no se transmiten de una persona a otra.

- Cuando tienes *cualquier* enfermedad, tu cuerpo no funciona normalmente y no te sientes bien.

Para mantenerte saludable debes

- hacer ejercicio con frecuencia.
- comer alimentos saludables.
- evitar las sustancias dañinas.
- controlar el estrés.
- estar limpio.

© Harcourt